D1273407

9 789948 825098

أميرة حجازي

كاتبة مصرية تدرس في كلية الحقوق قسم إنجليزي جامعة المنصورة، لديها العديد من المقالات والتدوينات عبر مواقع ومجلات إلكترونية.

الإهـــداء

إلى الذين حدثت لهم معجزة غيرَّت حياتهم

أميرة حجازي

ولدتُ مرَّتين

AUSTIN MACAULEY PUBLISHERS™

LONDON • CAMBRIDGE • NEW YORK • SHARJAH

الرقم الدولي الموحد للكتاب 9789948825098 (غلاف ورقي)
الرقم الدولي الموحد للكتاب 9789948825081 (كتاب إلكتروني)

رقم الطلب: MC-10-01-4070087
التصنيف العمري: +13

تم تصنيف وتحديد الفئة العمرية التي تلائم محتوى الكتب وفقا لنظام التصنيف العمري الصادر عن المجلس الوطني للإعلام.

الطبعة الأولى 2022
أوستن ماكولي للنشر م. م. ح
مدينة الشارقة للنشر
صندوق بريد [519201]
الشارقة، الإمارات العربية المتحدة
www.austinmacauley.ae
+971 655 95 202

شكر خاص

لأمي التي شجعتني وآمنت بموهبتي وجعلتني أحلم بلا قيود أو حدود، أتمنى أن تعلم أنها سِرٌّ من أسرار سعادتي ورمز لكل نجاح أحصده.

لن يكفي مجرد شُكْرٍ على ورق لما قدَّمَتْه لي من دعم وحب وحنان، ولكنني أحببت أن أُخَلِّدَ امتناني لها في روايتي الأولى "ولدتُ مرَّتين".

عندما تأتيك فرصة تغيير الواقع، لا تبخل على نفسك برؤية الخيال.

أميرة حجازي

هالة

هي امرأة جميلة بيضاء البشرة، ذات عيون عسليَّة، وشعر طويل أشقر اللون من عائلة فقيرة جداً. فقدت والدها في سنٍ صغير، وأمُّها امرأة مكافحة، قد قامت بدور الأب والأم لأربع بنات، وكانت تتمنى أن تراهنَّ جميعهنَّ متزوجات من رجال أغنياء.

كان كلّ ما تحلم به هالة هو أن تتزوج برجل يحبها وتحبّه، وأن يعوّضها عن الحرمان الذي عانت منه طوال حياتها.

****

محمود

رجل وسيم، بعيون خضراء، طويل القامة، من عائلة غنيَّة،
لا يكاد يحلم بشيء إلاَّ ويراه قد صار بين يديه.

كان والده صارماً وشديداً في التعامل، ولا تُعصى له كلمة،
على عكس والدته التي تطمح أن يحقّق أولادها كلّ ما يرغبون به.

عاش محمود حياته ينفّذ كلام والده، ويسعد والدته.

****

ذات يوم، التقى محمود بهالة، تلك الفتاة البسيطة. لم يكن لقاءً عادياً، فقد استطاعت هالة أن تلفت نظر محمود بجمالها وعفويتها منذ اللَّحظات الأولى التي رآها فيها. وهي لم تتوقع أبداً أن يعجب بها شابٌ غنيٌّ ووسيم مثل محمود بهذه السرعة.

وبعد تكرُّرِ لقائهما، كان الإعجاب يزداد مع كل مرَّة يجتمعان فيها. وعندما تأكَّد محمود من مشاعره تجاه هالة، قرَّر أن يخبرها بأنَّه معجبٌ بها، لكنَّ هالة لم تصدّقه أبداً؛ فهي كانت لا تقتنع بالقصص التي تشاهدها في الأفلام حول وقوع شاب غني في حب فتاة فقيرة.

وبمرور الأيام، كان محمود يتعلّق أكثر بهالة.. وهالة، رغم حبّها لمحمود، كانت خائفة من أن يكون محمود شاباً يريد أن يستغل فتاة فقيرة ويتلاعب بمشاعرها. ولطالما حاولت أن تبتعد عنه بكل الطرق، ولكن كيف لك أن تهرب من شخص مقدّر لك؟

لم يصدِّق محمود تصرّف هالة وسعيها للابتعاد عنه، وربّما كانت أفعالها العفويّة وقدرتها على الاختباء هي سر جاذبيّتها بالنسبة له.

حاول محمود كثيراً أن يثبت لهالة صدق حبه ومدى إخلاصه في سلك الطريق الصحيح للفوز بها، ورغم تأكد هالة من إخلاص محمود إلا أنها كانت تسأل نفسها باستمرار: لمَ هي

بالذات من وقع محمود في حبها؟ لمَ هي من سوف يقضي شاب غني مثل محمود بقية حياته معها؟ كأن مشكلة هالة لم تكن هذه المرة في مدى صدق محمود في مشاعره اتجاهها، ولكن المشكلة هي ذاتها التي لا ترتقي لأن يسعي وراءها شاب مثل محمود.

وكالعادة حاول محمود أن يزيل حاجز الطبقية التي تضعه هالة بينه وبينها، فأخبرها بأن المال لا يعطيه تلك المشاعر التي يشعر بها عندما يكون بجانبها، كما أن المال لا يجعل قلبه يهتز فرحاً من مكانه عندما يمسك بيدها أو ينظر في عينيها.

استطاع محمود أن يكْسَبَ ثِقَةَ هالة فيه، وأن يعيد ثقتها بذاتها، لذلك لم تستطع أن تفعل شيئاً سوى الغرق في حب محمود.

وبعد مرور شهرين على أول لقاء

طلب محمود من هالة أن تتزوَّجه، وكانت هالة سعيدة جداً. لكنها طلبت من محمود أن يأتي لزيارة عائلتها، فهي لا تريد أن تخدعه بشأن فقر عائلتها. وأخبرها هو أنَّ سعادته ستكتمل برؤية عائلتها التي هي جزء منها.

هالة كانت متوترة من اللقاء الذي سيجمع عائلتها مع الشاب الذي تحبه، لذلك حاولتْ تجميل المنزل وطلبت من كل أفراد أسرتها أن يتصرفوا بشكل لائق ولا يزعجوا الضيف.

وعندما وصل محمود لمنزل هالة ألقى التحية على عائلتها وكان مستمتعاً بالحديث معهم، وعندما خرجت هالة لرؤيته ابتسم لها وأبدى إعجابه الشديد بأسرتها ومنزلها المتواضع.

محمود كان يحبُّ كل تفصيلٍ في هالة، فقد أحبَّ عائلتها، وأخبرها بأنَّ فقر عائلتها لم يُنقِص من حبّه لها.

كانت هالة سعيدة لأنَّ محمود تفهَّم ظروف عائلتها، ممَّا جعلها تشعر بالأمان أكثر معه وشجعها أن تطلب منه رؤية عائلته.

هالة: "لقد قابلت عائلتي يا محمود، وقد كانوا مسرورين بك، لكنَّني لم أقابل عائلتك بعد، ولم أعلم رأيهم بي حتى الآن".

محمود: "حسناً، سآخذكِ قريباً لمقابلتهم".

محمود كان حقاً متوتراً من رأي عائلته بهالة. إلاّ أنَّه قد تمنّى من أعماق قلبه أن ينظروا لها نظرة الحب التي ينظرها هو لها بينما هالة كانت متشوقة لمقابلة عائلة محمود. فبعد تقبّل محمود لظروف عائلتها، أصبحت مطمئنَّة حيال رأي عائلته بها.

حاول محمود أن يُأجل لقاء هالة بعائلته ولكن إلحاحها جعله مضطراً لعرض الأمر على والده لذلك ذهب وأخبره بأنَّه يريد الزواج من هالة، وبأنَّها من عائلة بسيطة.

فقال والده: "ومن قال لك إنَّنا نريد أن نناسب عائلة بسيطة؟"

محمود: "ما العيب في العائلة البسيطة يا أبي؟"

والده: "العيب فيك، لأنَّك لا تريد أن تنظر لأعلى، دائماً ما تنظر أسفل قدميك".

محمود: "أبي، سأتزوج بهالة ولا يهمّ أين أنظر".

والده: "إن تزوّجت بهذه الفتاة البسيطة، ستصبح بسيطاً مثلها، فلا تحلم بأموالي ولا بالعيش معي".

محمود: "ماذا تعني يا أبي؟"

والده: "أعني ما فهمت".

ثم انصرف والد محمود وهو غاضب، ففهم محمود أنَّ كلام والده لا رجوع فيه.

محمود كان يعلم أن ردة فعل والده ستكون عنيفة ولكنه لم يعلم أنها ستكون بهذا الحد الذي سيجبره على الاختيار بين هالة وبين عائلته.

مرَّ شهر ومحمود لا يجيب على مكالمات هالة المستمرة لأنه أراد أن يأخذ قراراً بشأن عائلته أولاً ثم يقرر أمر هالة، لكنه لم يستطع أن يستمر في عدم رؤيتها، وعدم الردِّ على مكالماتها، لذلك قرَّر أخيراً أن يتزوج من هالة، ويترك عائلته.

وأثناء شجاره مع والده بعد أن انتهى الحديث بينهما بأنَّ محمود سيعصي كلامه ويتزوج هالة، أوقفته والدته وقالت: "محمود، هل ستذهب ولن أراك مرة أخرى يا حبيبي؟"

محمود: "أمي، لا أستطيع نسيانها أو تركها".

والدته: "ولكن يا محمود فكّر بي قليلاً، أنا لن أتحمل غيابك".

محمود: "أنتِ من علمتني بأنَّه من الصّعب أن تعصي قلبك، وأنا لا أستطيع أن أنفذ كلام أبي وأعصي قلبي. أرجو منك أن تتفهَّمي كلامي يا أمي وحجم المعاناة التي سوف أصبح فيها إن تركت هالة".

انهارت والدة محمود في البكاء، بينما محمود لم يكن يصدِّق أنه سيترك والدته وهي تبكي ويرحل، ولكن والده كان قاسياً؛ طلب منه أن يخرج وألا يعود أبداً، فلم يستطع أن يخفف عن

والدته ألم غيابه أو أن يعدها بأنه سيأتي لرؤيتها كلما احتاجت لذلك.

لم يكن الاختيار سهلاً بالنسبة للمحمود؛ فهو كان متعلقاً بعائلته لدرجة كبيرة، ولكنه لم يستطع أن يتخلى عن إنسانة وَثِقَتْ به وأحبَّته بصدق مثل هالة لمجرد أنها ليست من نفس مستواه.

ذهب محمود إلى هالة وأخبرها بأنَّه قد ترك عائلته ليكون معها.

هالة: "لا يمكن أن نتزوج يا محمود بدون موافقة عائلتك".

محمود: "لن يوافقوا، وإن لم توافقي الآن لن نتزوج أبداً يا هالة".

خافت هالة أن تخسر محمود مجدداً فالفترة التي لم يكن يجيب على مكالماتها كانت تتعذب فيها بشدة وهي غير قادرة على إعادة هذه التجربة مرة أخرى، لذلك وافقت على الزواج رغم أنَّها لم تتمنّ أن تجري الأمور على هذا النحو.

لاحظت هالة انزعاج محمود بسبب غياب عائلته في مراسم الزواج لذلك أعادت عليه الاختيار بينها وبين عائلته للمرة الثانية، ولكن محمود غضب وطلب منها ألا تحاول عرض هذا

الأمر عليه مجدداً، ثم نظر في عينيها بأسى وكأنَّه يخبرها بأنَّه تنازل عن شيء مهمّ في حياته لأجلها.

ظلَّت هالة تراقب محمود وهو يتألّم دون أن تستطيع فعل شيء له، فهو يرفض أيَّ مساعدة منها.

في يوم العرس، كان محمود يحاول أن يتغلَّب على الحزن الذي في داخله ويظهر بعضاً من الرّضا الناتج عن اختياره لهالة حتى لا يزعجها.

لكنَّ هالة كانت تعلم ما بداخله من اشتياق لعائلته، ودار بين محمود وهالة حديثٌ أثناء رقصهما في العرس.

هالة: "هل أنت سعيد يا محمود؟"

محمود: "سعيد يا هالة، ولكنَّ سعادتي ينقصها الكثير لتكتمل. لم أتوقّع يوماً أن يكون عرسي فارغاً هكذا! لم أتوقع ألا أجد أمي تبكي من فرط السعادة، ولم أتوقع ألّا يبارك أبي زواجي، وأن يتخلّى عنّي بهذه السهولة. وأين إخوتي؟ من الصّعب عليَّ ألا أراهم في مثل هذا اليوم. كم كنت أتمنى أن يلتفّوا جميعاً حولي".

سكتت هالة ولم تعرف ماذا تقول، ثم اقتربت من محمود واحتضنته لربّما تخفّف عنه بعض آلامه.

في نهاية اليوم، لاحظ محمود سيارة فاخرة واقفة أمام العرس، فأخذ ينظر إليها، ثم فُتحت إحدى نوافذ السيارة ووجد

محمود والدته هي من تطلّ عليه منها، فأمسك محمود بيد هالة وذهب مسرعاً تجاه السّيارة.

فتحت والدته باب السيارة ونزلت مُسرعة، وأخذ محمود ينظر إليها وعيناه غارقتان بالدّموع بينما والدته قد انهارت في البكاء. ثم احتضنت محمود بشدة وبدأت تذكر اسمه وكأنّها كانت محرومةً من نطق هذا الاسم لفترة طويلة.

كان محمود لا يصدق وجود والدته، فأخذ يطمئن قلبه ويقول: "أمي جاءت"، ثم نظر لهالة وكأنّه يخبرها بأنَّ والدته جاءت ولم تتركه في مثل هذا اليوم.

وكانت هالة تبكي لفرحة محمود بوالدته، ثم اقتربت والدة محمود منها ونظرت إليها وكأنَّها تحمل لها الكثير من العتاب واللوم.

كانت هالة متوتّرة ممّا قد تقوله والدة محمود لها.

والدة محمود: "أنتِ من حرمتني من محمود، أنتِ من امتلكتِ قلبه وجعلته يهجر كلَّ القلوب المحبّة له!"

ظلَّت هالة صامتة، فهي تعلم أنَّه من الصعب أن يحبّها أحد من عائلة محمود. تابعت والدة محمود كلامها لهالة قائلة: "لا

أعلم أيجب أن أحبك أم أكرهك، ولكن كيف أكره من ملأت قلب محمود حباًّ؟"

ردَّت هالة: "سيّدتي، أنا أشكرك من قلبي لأنَّ حضورك قد أسعد محمود وأزال الدّموع من عينيه. لا أطلب منكِ سوى أن تحاولي مسامحتي وتفهم موقفي، وأن تتمنّي الأفضل لنا، فأنا ومحمود لو لم يتملّكنا الحبّ لما فعلنا ما فعلناه".

والدة محمود: "سأحاول مسامحتك، لكن أودُّ منك أن تعديني بأن تعوّضي محمود عن غيابنا، ولا تجعليه يندم على أنَّه اختارك يوماً وتركنا".

أخرجت والدة محمود قلادة غالية الثّمن من حقيبتها وأعطتها لهالة، وتمنَّت لها السعادة لتُسعد محمود.

ثم نظرت لمحمود نظرة الوداع وأوصته بأن يعتني بنفسه، ورحلت.

كان محمود سعيداً لحضور والدته العرس ونسي حزنه قليلاً. هالة عملت على الوفاء بالوعد الذي قطعته لوالدة محمود، وعاش محمود وهالة سنةً من أجمل سنوات حياتهما، ولكنَّ دوام الحال من المحال.

بعد الزواج بعام

كان محمود يشعر بأنَّه قد تسرَّع في الزواج. ليس لعيبٍ في هالة، ولكن لحرمانه من حياته السابقة التي كان فيها الكثير من الرفاهية. كانت حياته خالية من المشاكل الماليَّة، أمَّا الآن، إذا قابلته مشكلة بسيطة يعجز عن حلّها. سمع صوتاً عالياً بداخله يخبره بأنَّه قد تسرّع بالزواج وتسرّع بالتنازل عن عائلته التي كانت مصدر السعادة والأمان له. ورغم ذلك، كان محمود قويّاً، فلم يسمح لهذا الصوت أن يصل إلى هالة.

أصبح محمود يتجنب التحدث مع هالة كما وأصبح يتجنب النظر في عينيها فهو كان يعلم أنه لو نظر في عينيها سيبوح لها بكل الأوجاع فهو مازال لا يصدق أنه تجرد من كل أموال أبيه كانت هذه أول مرة يدرك محمود أن أموال ابيه هي من صنعته فعندما كان يدير شركات أبيه كان يظن أنه من كان يصنع الأموال.

كانت هالة أكثر من يشعر بمحمود، فهي تعلم بأنَّه مشتاق لحياته القديمة ومشتاق للرّفاهية التي كان ينعم بها، لذلك

كانت تأمل بأن تتحسَّن الأمور، وبأن يبقى حبُّ محمود لها وأن يعيشا معاً دائماً... لكن هل ستتحقق أمنية هالة؟

مرَّت ثلاث سنوات ولم تَحمل هالة بعد، وهذا الأمر قد يفسد العلاقة بينها وبين محمود رغم أنَّ محموداً لم يتحدّث بشأن هذا الأمر، لكنَّ هالة تعلم أنَّ هناك الكثير من الأفكار والمشاعر التي يخفيها محمود عنها.

وكانت تفكر باستمرار ماذا ستفعل فيما لو تركها محمود لهذا السبب أو للأسباب الأخرى.

ذات يوم، رأت هالة محموداً جالساً يفكّر بصمت، فذهبت إليه وقالت: "محمود بماذا تفكر؟".

فأخبرها محمود أنَّه لا يفكّر في شيء، ثم انصرف منزعجاً. أحسَّت هالة بأنَّها أصبحت مصدر إزعاج له.

لكن بعد قليل، عاد محمود وأمسك بيدها، ثمَّ قال: "اعذريني يا هالة، فأنا منزعجٌ قليلاً".

هالة: "لا بأس يا محمود، أنا لست متضايقة منك، أنا فقط خائفة من أن تتركني".

نظر محمود إلى عيني هالة ثمَّ حملها وقال لها: "ألم تعودي تشعرين بالأمان معي يا هالة؟"

هالة: "بالطبع أشعر بالأمان معك يا محمود".

محمود: "إذاً، ما احتمال أن أتركك تسقطين الآن يا هالة؟"

هالة: "الاحتمال الآن ضئيل، ولكن ربَّما بعد قليل يصبح كبيراً".

نظر محمود لهالة متعجباً من طريقة كلامها وقال: "ماذا تعنين؟"

فضحكت هالة وقالت: "ستتعب يديك بعد قليل يا محمود من حملي وحينها سأسقط".

فضحك محمود وقال: "صحيح يا هالة، لقد أصبحت ثقيلة بعض الشّيء هذه الأيام! ولكن لا تخافي، لن أدعك تسقطين".

فضحكت هالة وقالت: "أحقاً أصبحت ثقيلة؟ ربما ازداد وزني قليلاً!"

ولكن هالة لم تكن تقصد بأن تجعل الأمر فكاهيّاً كما ظنَّ محمود، فهي أصبحت متأكّدة من أنَّ وقت وجودها مع محمود ينفذ.

بينما محمود لم يكن يعلم إلى متى سيظل يخفي تعاسته وأحزانه بداخله دون أن يعبر عنها لهالة، ربما كان الحب هو ما يجعلهما لا يتحدثان معاً بما يشعران به ولكن الحب ليس شعوراً دائماً؛ فظروف وأحداث الحياة اليومية قادرة على تغييره، فإلى متى سيظل كل منهما صامت بدافع الحب؟

بعد مرور شهرين

علمت هالة بأنّها حامل، وكانت سعيدة للغاية، وكان محمود سعيداً أيضاً، وقد أحسَّت هالة بأنَّ العلاقة بينها وبين محمود بدأت بالتّحسن بعد خبر حملها.

كانت تفكّر بأن تترك القلادة التي أعطتها لها والدة محمود لتضمن لطفلها حياة جيّدة، وهذا ما كان يفكّر فيه محمود أيضاً.

فالمال الذي معه لا يكفي إلاّ للطعام والشراب.

في نهاية الشهر السابع من الحمل

اكتشف محمود أمراً أحزنه كثيراً وحاول أن يخفيه عن هالة، لكنَّ هالة قد لاحظت بأنَّ محموداً ليس على طبيعته

ويحاول أن يخفي شيئاً عنها.. لاحظت عليه اصفرار لون جلده وعينيه، وشعوره بالغثيان والقيء مع الألم في بطنه باستمرار.

سألته هالة: "ماذا بك يا محمود؟ هل أنت مريض؟ حالتك الصحيَّة متدهورة!"

محمود: "أنا بخير، لا تقلقي عليَّ يا هالة".

لكن بعد بضعة أيام، لم يستطع محمود أن يخفي ألمه أكثر، وعلمت هالة بأنَّ محمود مصاب بالفشل الكبدي ويحتاج إلى عمليَّة زراعة كبد.

صدَم هذا الخبر هالة وجعلها لا تكفّ عن البكاء ليلًا نهارًا. حاول محمود أن يشعرها بأنَّه بخير، ولكنَّ الفيروس كان أكبر منه وكانت حالته تسوء من ساعة لساعة. أخبرته هالة بأنَّها ستبيع القلادة ليقوم بعمل العمليَّة لكنه رفض. فقالت له بأنّها لن تنجب طفلاً بلا أب.

وبالفعل، باعت هالة القلادة ليقوم محمود بالعمليّة.

كانت هالة خائفة من فشل العمليَّة، خصوصاً أنَّ هذه العمليّات نسب النّجاح فيها ضئيلة. لكنَّها دعت الله ألا يفرّق بينها وبين محمود، وألا يحرمه من رؤية طفله الأوَّل فاستجاب الله لدعاء هالة، وتحسَّن حال محمود بعد العملية.

ذهب الألم عن محمود وحان دور هالة لتتألّم. أحسَّت هالة بألم الولادة، فقد أتاها الطلق وها هي تستعدّ للقاء الشّخص الذي تعتقد بأنَّه الوحيد القادر على إعادة علاقة الحبّ بينها وبين محمود.

وبالفعل، أنجبت هالة طفلة جميلة للغاية.

كانت هذه قصّة أمّي وأبي قبل أن آتي إلى الحياة...

لينا

"كان عليَّ أن أحكي لكم قصّة والديَّ، فهي جزءٌ من قصّتي، كما لم أرد أن أبخل عليكم بالرومانسيَّة التي جمعت رجلاً غنياً بامرأة فقيرة. لا أحبُّ أن أمدح نفسي، لكنَّني جميلة، وكيف لا أكون جميلة وقد أخذت لون شعر أمي الذهبي وبياضها السّاطع.

أنا أشبه أمّي كثيراً، ربَّما ورثت كلّ صفاتها التي جعلت قصَّتي مميَّزة".

****

لقد أصبحت الحياة صعبة بوجودي، فلم يعد هناك شيء يضمن لي حياة جيّدة بعد بيع القلادة.

كان الطعام قليلاً، والملابس محدودة، ولا وجود للرضا في بيتنا، فأبي بعد العمليَّة أصبح شخصاً آخر.

شخصٌ لا يراعي أمي، ولا يهتمّ بمشاعرها. لقد تحوَّل من شخص يخفّف عنها آلامها إلى شخص بارع في إتعاسها. صار يخبرها يومياً بأنَّه يتمنّى الرجوع لعائلته، وبأنَّه ندم على الزواج بها، وبأنَّها مصدر الفقر بالنّسبة إليه، وأنَّ الحب كان يعميه عن رؤية تلك الحياة التّعيسة.

فماذا حدث لوالدي الذي كان من الصّعب عليه أن يرى أمي تبكي؟ هل ضغوطات الحياة هي التي فعلت به هذا؟ أم أنها النفس اللّوامة؟

لكنَّ أمّي كانت صبورة، وكان الحب في قلبها لم ينطفئ بعد، فدائماً ما كانت تعذره وتتحمّل كلامه القاسي لها.

لا شك أن أمي كانت تعلم أنها تدفع ثمن زواجها من شخص ليس من مستواها الاجتماعي؛ فهي لا تشعر بضيق الفقر مثلما كان يشعر أبي، فلقد نشأت في ظروف قاسية تجعلها تتحمل الأزمات المالية، عكس أبي الذي يضجر من مجرد فكرة نقص المال وليس من انعدامه.

ذات يوم، كان أبي غاضباً من الفقر الذي أصبح يحيطه من كل جانب، ورأى أمي وهي تلاعبني بعطف وحنان، فنظر إليها وقال: "كنت أريد صبيًّا ليساعدني ويحمل اسمي؟"

هالة: "وما العيب في لينا؟ عندما تكبر ستساعدك، وهي تحمل اسمك يا محمود".

محمود: "أصبحت أرى لينا مثلك يا هالة عندما ذهبت لزيارة عائلتك لأول مرة".

هالة: "ألم تعجبك عائلتي حينها يا محمود، لماذا تريد أن تقلل من شأني الآن؟"

محمود: "أنا أريد أن أفهم؛ لمَ الحياة سيئة معك الآن رغم أنّها كانت جيّدة من قبل؟"

ثم ذهب أبي، وترك أمي وهي تفكّر في كلامه القاسي، وتحاول إيجاد إجابه لسؤاله.

انقطع الحديث بين أمي وأبي لفترة طويلة، وأثناء هذه الفترة تغير أبي تماماً؛ فلم يعد يشكو كالسابق، كما أصبح يدعي بأنه لا يملك الوقت للجلوس معي أو مع أمي، فلقد وجد عملاً جديداً سيغير حياتنا ويحلُّ كل مشاكلنا المالية. في البداية صدَّقَتْهُ أمي ولكن عندما أصبح يتهرب منها ولا يخبرها عن تفاصيل عمله علمت أنه يكذب عليها.

أصبحت أمي كالصّورة المعلّقة من كثرة غياب والدي عنها، وبعدما كان أبي يأتي ويعطينا المال أصبح يرسله لنا، ثم بعد فترة وجيزة انقطع أبي عن المجيء إلى البيت كما انقطع المال الذي كان يرسله.

لم يعد بحوزة أمّي أي مال حيث وجدت نفسها لا تدري من أين تأتي بالطّعام لي ولها. ولم تعرف كيف تجد أبي، ففكّرت كيف أتى أبي بهذا المال في هذه الفترة الوجيزة، كما أنّها لم تصدّق أنّه قد وجد عملاً بهذه السهولة رغم أنه كثيراً ما حاول ذلك من قبل ولم يفلح. فدار في ذهنها أن يكون والد محمود هو من أعطاه هذا المال، رغم أنَّ أمي متأكّدة أنّ هذا مستحيل لأنَّ أبي حاول كثيراً طلب المساعدة من والده ولكنّ والده لم يكن فقط يرفض مساعدته بل وكان يرفض مقابلته من الأساس.

لكنَّ أمي قالت لنفسها لربّما تغيّر، فمن كان يصدق أنَّ أبي سيأتي اليوم الذي يتغيّر فيه تجاهها ويتركها؟

قرّرت أمي أن تذهب لقصر جدّي وتسأل عن أبي، فهي تريد أن تطمئنّ عليه وتعلم سبب هجره لها.

بالفعل ذهبت أمي لقصر والد محمود وطلبت أن تقابل أحداً من عائلته فخرجت والدته.

والدة محمود: "هالة!"

هالة: "نعم، أودّ أن أسألكِ عن محمود".

والدة محمود: "لمَ تسألين عن محمود؟"

هالة: "لم يعد للمنزل منذ فترة طويلة".

والدة محمود: "لماذا سيعود؟ ألم يطلّقك؟"

هالة: "محمود طلّقني أنا!"

والدة محمود: "نعم، طلّقك! فبعد وفاة والده ورث أموالاً كثيرة وتزوّج، ألم تعلمي بهذا؟"

هالة: "هل محمود تزوّج بغيري!"

والدة محمود: "نعم يا هالة، وما العيب في ذلك؟"

لم تستطع أمّي أن تتماسك، فاتَّجهت ناحية الباب والدّموع تنهمر من عينيها. وأثناء رحيلها، كان أبي وزوجته الجديدة قادمين لتناول الغداء مع والدته، فالتقى أبي بأمّي ورأت زوجة أبي أمي وهي تنظر لأبي.

فقالت: "من تلك يا محمود؟"

محمود: "اسبقيني وأنا سألحق بك".

رضخت زوجة أبي لأمره ورحلت، فالتفت أبي لأمي وهو متوتّر وعندما همَّ بالحديث سبقته أمي وقالت: "أرأيت يا محمود؟ ها قد تعبت من حِمْلي وأسقطتني من يدك، ولكن أنا لا ألومك، أنا فقط أتساءل لمَ حَمَلْتَني منذ البداية؟"

ثم تساقطت الدّموع من عيني أمي وعندما حاول أبي أن يمسح دموعها ذهبت وتركته وقرَّرت ألّا تلتقي به مرّة أخرى، وأن تنسى كلّ لحظة قضتها تفكر فيه وتشتاق له.

عادت أمي إلى المنزل وأدركت أنها يجب أن تكون قوية من أجلي وأنها يجب أن تعتمد على نفسها فلم يعد أحد بجانبها ليدعمها.

حاولت أمي جاهدة أن تعلّمني، ولكن بعد المرحلة الثّانوية أخبرتني بأنَّها لا تتحمَّل مصاريف الجامعة، فلم أكمل دراستي رغم أنَّ مجموعي كان مرتفعاً. كما إنَّها صارت لا تتحمَّل إيجار المنزل الذي نسكن فيه، فبحثت عن شقّة صغيرة ذات إيجار رخيص ووجدت واحدة في أحد الأحياء المجاورة. وبالفعل، انتقلنا إليها.

كانت الشقَّة الجديدة ضيّقة وحولها الكثير من الضّوضاء التي لا تجعلك تستطيع النّوم بسكينة وهدوء.

يسكن بجوارنا الكثير من الجيران المتطفلين وبما أننا سكان جدد كان على جيراننا جمع أكبر عدد من المعلومات عني وعن أمي، فلم تمضِ سوى عدة أيام لتعلم الحارة كلها أن أمي مطلقة وأنني ابنتها الوحيدة وأننا جئنا لهذه الحارة بسبب وضعنا المالي السيئ.

الحيّ كانت تفوح منه رائحة الدّخان إذ يسكنه الكثير من المدخّنين وأشخاص يتعاطون المخدّرات إضافةً إلى العديد من البلطجيَّة وقطّاع الطرق، والذي كان أشهرهم شخص اسمه "علي".

علي

هذا اسمه الحقيقي، ولكن في الحيّ يطلقون عليه الكثير من الأسماء. الفقر هو الدّافع الأساسي الذي جعله ينحدر عن المسار المستقيم.

هو شابٌ في الخامسة والثّلاثين من عمره، ذو بشرة داكنة، وعيون بنّيّة، وجسد نحيل، كما أنَّ لغته غير محبَّبة، فهي مليئة بالتّعابير التّهديديَّة والسّباب المتواصل.

هو لا يعمل رغم أنَّه متعلّم، كلّ أمواله يحصل عليها من أعمال البلطجة.

****

منذ أنْ انتقلنا إلى الحيّ أنا وأمّي، لاحظت نظرات عليٍّ الغريبة لي. كانت نظراته ليس فيها الحبّ والإعجاب، ولكن فيها حبُّ التملّك. كانت طريقته فيها الكثير من المعاكسات لي، ولطالما كان يخبرني بأنَّني له ولكنَّني كنت أتجاهله، فأنا أعلم العواقب التي ستحلّ بي فور ارتباطي به. علي متعدد العلاقات كما أنه يتزوج بكل امرأة جميلة يراها ويطلقها عندما يرى الأجمل منها.

في الحقيقة، كنت كثيرة الشّكوى لأمي عليه، وكانت أمي تحاول أن تبعده عنّي بكلّ الطّرق لكنّه كان قد قرَّر أن يتزوّج بي رغم رفضي له مراراً وتكراراً. فبعيداً عن سمعته السيّئة وأعمال العنف التي يمارسها على النّاس، هو رجل يكبرني بسبعة عشر عامًا. كما أنَّ لديه الكثير من الأعداء وليس فيه ميزة أخلاقيَّة أحبّه من أجلها.. إنَّه كابوس بكلّ معنى الكلمة.

لم أكن أحلم بفارس على، جواد أو رجل فاحش الثراء؛ فأنا لا أريد أن أقع في الفخ الذي وقعت فيه أمي، ولكنني كنت أريد رجلاً ذا خُلُق، رجل أشعر معه بالأمان ويكون بيننا تفاهم متبادل، رجل حسن المظهر لا يتعاطى أي نوع من المخدرات، رجل قوي يحميني أنا وأمي إذا تعرَّض لنا أشخاص أمثال علي.

ذات يوم، سمعت عليّاً يتحدّث مع أمي ويخبرها بأنَّه يريد الزّواج بي، فأخبرته أمّي أنّني لا أريده، فرفع صوته عليها وهدَّدها بأنَّه سيتزوّجني سواء شاءت أم أبت، وأخبرها ألا تحاول الرّحيل وترك الحي، لأنَّها حينها لن تخرج منه سالمة.

وفي اليوم التّالي، وجدتُّ عليّاً أمام باب الشقة، فنظرت في عينه الجريئة المريبة ثم سكتّ حتّى يتكلّم.

علي: "لينا، لا جدوى من عنادك ورفضك لي".

لينا: "إذاً ماذا أفعل لأتخلّص منك؟"

علي: "الموت هو الحلّ الوحيد لتتخلّصي مني".

لينا: "أُفضّل الموت على الزّواج بك!"

علي: "لا أرغب في أن أشوّه هذا الوجه الجميل، لأنَّه في نهاية الأمر سيكون لي".

حينها تجاهلت تهديده لي وأغلقت الباب في وجهه فرحل وهو غاضب.

لم تعرف أمّي ماذا تفعل مع عليٍّ، هذا الشّخص المؤذي بكلّ معنى الكلمة، ولم تجد ما تخبرني به سوى: "تزوَّجيه يا لينا!"

لا أعلم كيف استطاعت أمي أن تطلب مني هذا الأمر فكأنها تطلب مني أن أنتحر! ظننت في البداية أن أمي لا تدرك مدي كرهي لعلي لهذا حاولت أن أشرح لها.

لينا: "أمّي، هل حقّاً تطلبين أن أتزوج من عليٍّ؟ أنت تعلمين أنّني لا أحبّه".

أمي: "أعلم أنّك لا تحبّينه ولكنّ مصير لقائنا بهذا الشّخص المؤذي كان بسبب أنّني تزوجت عن حب، علي أفضل لك يا لينا".

لينا: "أفضل لي!"

غضبت من طريقة أمي التي تحاول فيها إقناعي بعليٍّ بوصفه الأفضل لي، لذلك تركتها وذهبت وتساءلت كيف تريد أن تقنعني بشيء هي نفسها غير مقتنعة به؟

جاءني شعور بأن أمي تحاول أن تجعلني أتفادى خطأها بارتكاب خطأ أكبر، فكيف يكون عليٌّ هو الاختيار الأفضل؟

لم أتوقع أنني سأرضخ لتهديدات عليٍّ وأتزوج به رغم كل محاولاتي في الابتعاد عنه، ولكن بعدما بدأ بتنفيذ تهديداته وجدتُ نفسي أضعف بكثير من أن أرفض تنفيذ رغباته أو حتى أعترض عليها.

في البداية حاول علي أن يرضيني ويحقِق رغباتي بسرقة النّاس، ولكنَّني كنت أرى أيّامي معه كأيّام أصابني فيها العمى؛ حيث كانت أيَّامًا مظلمة شديدة السّواد. كنت أسأل نفسي كلَّ يوم أين مشاعري؟ أين ذهبت؟ فأنا لا أستطيع أن أخبره أي كلمة من قلبي، وهو سئم منّي ومن تحجّر مشاعري، فلم يعد يرى فيَّ أيّ ميزة قد رآها من قبل.

لم تكن أيامي فقط التي تذهب دون أن أشعر بها، بل كانت أحلامي وطموحاتي أيضاً، ولطالما كنت أتساءل: (أين طريق النجاة؟ أين المستقبل المشرق الذي سأسعى إليه؟)، ولأنني لم أجد إجابه لهذه الأسئلة فَكَّرتُ في الانتحار، تلك الفكرة التي لم أتوقع أن تخطر في بالي يوماً؛ لأن أمي علَّمتني أن ضيق الأوضاع ما هو إلا دليل علي قدوم الفرج، ولكن أين هذا الفرج الذي سيزيل الغمة والانتكاسة التي أشعر بها مع كل ثانية أقضيها مع علي.

أمي لم تعلِّمْني أبداً شيئاً خاطئاً، لذلك كنت أصدقها وأثق في نصائحها لي، وهي لم تكن تنصحني في حياتي مع عليٍّ سوي بالصبر، فهل كانت تلك نصيحة أَمْ قِلَّةَ حيلة مع شخصٍ مؤذٍ مثل عليٍّ؟

بعد مرور خمس سنوات

لقد مرَّت هذه السَّنوات ولم أنجب أيَّ طفل.. لقد مرّت وأنا أتمنّى الموت كل يوم والهرب من دموعي التي لازمت عينيّ كلَّ تلك السّنوات. اكتشفت أنَّني قويَّة لتحمّلي كل تلك المعاناة، ولكنَّني كنت أعلم بأنَّ قوّتي ستنفذ وسيأتي وقت الاستسلام. كان علي يضربني باستمرار ويسُبّني ويهدّدني بأنَّني إذا لم أنجب منه طفلاً سيقتلني. ولكن كيف تنجب أم ميتة طفلاً!

لقد قرَّر عليٌّ أن يجعلني خادمة بدلاً من زوجة، وميّتة بدلاً من حيَّة، وخائفة بدلًا من مطمئنَّة، فقد كانت لديه الكثير من العلاقات النسائيَّة التي كان يخفيها عنّي في بداية زواجنا، أمَّا الآن فهو يعرّفني عليهن واحدة تلو الأخرى. لا أفهم لما يفعل هذا،

أيريد أن يحرّك شعور الغيرة لدي؟ أم إنَّه يريد أن يصيبني بآلامٍ أخرى؟ أم إنَّه يئس مني ويرى في تلك النّساء ما يعوّضه عنّي؟

وفي الواقع، لم أكن مستاءة لخيانته، لكنَّني كنت أراقبه في بعض الأحيان لأرى ما هو مبتغاه من كلّ هذا، وقد أدركت أنّه لا يفعل هذا لسببٍ معيّن، وإنّما يرى في تعدّد النّساء وكثرة العلاقات سمةً من سمات الرّجولة. كم كان عقلي ضيّقاً لأظنَّ أنّه عاقل فيما يفعله.

لطالما تمنيت أن تُمحى ذاكرتي ولا أتذكّر تلك الحياة التي أقضيها مع عليٍّ، ولطالما فكرت في الهرب ولكن خفت أن تؤذى أمي بسببي، فهي كانت الدافع الوحيد لاستمراري في الحياة، ولكن هذا الدافع سيرحل عما قريب، فلقد مَرِضَتْ أمي بشكل مفاجئ واحتاجت للرعاية ودخول المستشفى في أقرب فرصة ممكنة، ولكن لم يكن بحوزتي أيُّ مال. حينها فكرت في أن آخذها إلى أحد الأطبّاء ولكن كان مبالغاً في طلب الأموال.. وبعد قليل علمتُ بأنَّ جميع الأطباء قد أصبحوا هكذا.

وهذا جعلني أتساءل: (هل ترك الأطبّاء الهدف من مهنتهم وسعوا وراء الأموال؟)، لكنَّني لا ألومهم، فالحياة أصبحت صعبة ومكلفة.

عدتُ أنا وأمي لشقّتها دون أن أَعْرِضها على أي طبيب لقلَّة الأموال وسوء الأحوال. ثم أخبرتها بأن تستريح على السرير ريثما أعدُّ لها بعض الطّعام لتأكل.. كنت أعلم أنّها مريضة حقّاً وتحتاج للدواء والرعاية الطبيّة في أسرع وقت، ولكن ماذا أفعل؟ ما باليد حيلة.

أحضرت لأمي بعض الطعام السّاخن ولكنها لم تكن تأكل، لذلك أمسكت الملعقة وأجبرتها على تناول الطعام، ولكنها نظرت

إليَّ وقالت: "لينا لو كان معي المال لكنتِ الآن طبيبةً تعالجني، ولو كان معي المال، لكنَّا عشنا في منزل كبير في إحدى المدن، وما التقينا بعليٍّ وأمثاله".

ثمَّ بكت أمّي، وأمسكت بيدي وطلبت منّي أن أسامحها. حاولت أن أهدِّئها قائلة: "أدعو الله أن يشفيك يا أمي دون الحاجة للدواء، لم تفعلي شيئاً لأسامحك عليه يا أمي، أنت لم تتركيني كما فعل أبي، وأنا أعلم أنكِ قد بذلت قصارى جهدك لأكون في أفضل حال، لا تفكّري الآن إلاَّ في صحّتك وكيف ستتعافين، لأنَّني من بعدك سأكون وحيدة لا أطيق الحياة.

وحينها قبَّلت يد أمي وتركتها لتنام، وتمنّيت لها أن تصبح بخير.

ذهبتُ إلى عليٍّ وتمنّيت من أعماق قلبي ألا يردّني خائبة الرّجاء، وعندما التقيت به نظرت في عينيه واستعطفته قائلة: "علي، أتمنى أن تستمع إليّ وتدرك أنّني هذه المرّة في أمسّ الحاجة إليك".

علي: "هل تطلبين منّي العون يا لينا! هل أصبت بالجنون! أم أوصلتك مذلَّة الحياة لي؟ أم غاب عنك الوعي وعليّ أن أنتظر حتى تفيقي؟"

لينا: "لا، ليس كلّ هذا، إنَّما ضعفي وقلة حيلتي وأملي الزائد بك هو ما يجعلني أقف أمامك الآن لأطلب العون منك".

علي: "ربَّما أكون سيئاً في نظرك، لكنَّني لا أنوي تصحيح هذه الفكرة لديك فلا تأملي".

لينا: "أمّي مريضة يا علي وتحتاج للمال، ولا أجد شخصاً يعيرني الأموال غيرك".

علي: "لا تقلقي، أمك لا تحتاج للمال ولن تموت، فهي مثل ابنتها صبورة وتتحمَّل".

لينا: "أتمزح يا علي وأمّي تموت؟"

علي: "أنا لا أمزح، فقد فعلت بكِ كل شيء يجعلك تموتين، ومع ذلك أنت حيَّة وتطلبين المال".

لينا: "هل تعلم أنَّ الأسوأ من موت أمّي هو الوقوف أمامك وطلب المساعدة منك؟"

علي: "حقاً، ألم أكن أعطيكِ المال فتخبرينني بأنّك لن تأخذي مالي المسروق؟ لمَ تطلبيه الآن؟! ألم أكن أعاملكِ بلطفٍ فتعاملينني بجفاء؟ سئمت منكِ ومن رؤيتك".

انصرف علي بعدما أثبت لي أنه الغلطة التي لا يمكن تصحيحها بأي حال من الأحوال.

كنت أعلم أنَّ علياً لن يساعدني أبداً، ولكن ربَّما كنت أريد أن أقطع الشكَّ باليقين وألّا ألوم نفسي إن حدث لأمّي شيء وأقول ربّما لو كنت أخبرت عليًّا لكانت أمّي معي الآن.

ربَّما قلبي يهتزّ حتّى الآن عند تذكّري ذلك اليوم، فبعد حديثي مع عليٍّ لم أعلم ماذا أفعل، كانت كل الأبواب مغلقة في وجهي. وفي اليوم التّالي ذهبت إلى أمّي لأطمئنّ عليها، وعندما اقتربتُ من غرفتها كنت متوتّرة، فبماذا سأخبرها؟ هل أخبرها بأن تتحمَّل الألم لأنَّني لا أستطيع أن أمنحها السّكينة؟

لكنَّ أمّي لم تُرِد أن تقلقني عليها أكثر، ولم تُرِد أن ترى نظرة الحزن في عينيَّ وأنا أخبرها بأنني عاجزة عن مساعدتها. فعندما اقتربتُ منها لم أشعر بأنفاسها، كما لم أشعر بوجودها معي. حينها جلست أسفل سريرها وبكيت وتذكّرت كلَّ لحظاتي معها.

تمنَّيت أن أسمع منها اسمي وهي تناديني به، وأن تضع يدها على رأسي وتخبرني بأنَّها معي ولن تتركني، لكن ها هو الواقع المؤلم، أمّي ماتت ولن تعود. تركتني وأنا أتألَّم من وجع فراقها وأخذت معها صبري على مشاق الحياة.

بعد وفاة أمي تغيَّرت كل الأمور، فلم أعد تلك الفتاة الصّبورة التي تتحمَّل التّعذيب وتنتظر وقت الإفراج عنها. لم أعد أطيق رؤية عليٍّ ولم يكن باستطاعتي أن أسامحه أو أتغاضى عن

فكرة أنّه ترك أمي تموت ولم يساعدني فقط لأنه يكرهني ويريد الانتقام مني. ربَّما لو ساعد أميّ حينها، وطلب منّي روحي بعدها لأعطيته إياها.

ربّما يراني عليٌّ الآن ضعيفة ومنكسرة، لكنَّني في الحقيقة مدمَّرة وقد حكم عليَّ بالإعدام بعد موت أمي.

قرَّرت إن متّ الآن ألَّا أُدفَن في مقبرة علي، لم أعد أريد منه الطّلاق والعيش بسلام بعيداً عنه، بل سأخرج من هنا وأنوي الانتحار، لكن لا أريد أن أريه لحظة موتي. تلك اللَّحظة التي ينتظرها، لا بدَّ أن أختفي ليعتقد دائماً أنَّني أعيش في سلام فيتعذَّب.

قرَّرت أن أقفز من فوق (كوبري النّيل)، كان هذا القرار أصعب قرار أتَّخذه في حياتي، ولكنَّه كان بمثابة القتل الرّحيم بالنسبة لي.

لم يكن الهروب صعباً لأنَّ عليًّا كان يعلم أنَّه لا مكان لدي سوى بيته، ففتحت الباب وخرجت قائلة في نفسي: (إن كان الموت واحدًا، فلمَ نهتمّ بالطّريقة؟ وما الفرق إن قابلت عليًّا الآن وقتلني أو قفزت من فوق الجسر؟).

لم أقابل عليًّا، أثناء طريقي للجسر لذلك أيقنت حينها أنني لن أموت على يديه وعند وصولي للكوبري نظرت للماء.. في الحقيقة، شعرتُ أنَّ ماء النيل هو حضن أمّي الدّافئ، وسمعت صوتاً عالياً يشجّعني على القفز، وفي تلك اللَّحظة، تذكّرت كل اللَّحظات السيّئة في حياتي، وعندما كنت على وشك القفز والاستسلام لذلك الصّوت العالي أمسكت بي امرأةٌ عجوزٌ كانت ترتدي عباءة سوداء ووشاحاً على رأسها يخفي بعض ملامحها ويجلب الغموض لشخصيّتها. كانت عيناها مخيفتين وواسعتين وأظافرها طويلة.

نظرت لها متعجّبة من هيئتها وخائفة منها، ثمَّ قلت في نفسي حينها: (أعتقد أن الملائكة هي من تساعد الناس في هذه المواقف، منذ متى أصبح الشّياطين يساعدون؟).. ففي الواقع، هي لم تكن تشبه الملائكة في أيّ شيء.

بدأت السّيدة العجوز بالتحدث قائلةً بصوت حادٍّ: "إلى أين يا ابنتي؟ هل تريدين المغادرة بهذه السرعة؟"

لينا: "اتركيني سيّدتي، لم يعد لي مكان هنا!"

العجوز: "هل تكرهين الحياة بأكملها يا لينا؟ أم إنَّك تكرهين حياتك أنت؟"

لينا: "كيف عرفت اسمي يا سيّدتي؟"

العجوز: "عندما تعلمين من أنا وكيف سأساعدك، حينها ستدركين أنّ معرفة اسمك أمر سهلٌ للغاية".

لينا: "كيف تستطيعين إصلاح حياتي؟ ومن أنتِ؟"

العجوز: "أنا معجزة أعطتها الحياة لكِ لتكفّر عن أخطائها في حقك".

لينا: "الحياة لا تعطي معجزات لأحد".

العجوز: "إن كنت لا تؤمنين بالمعجزات، فأعتقد أنّك تؤمنين بالفرصة الثّانية، وأنا فرصتك الثّانية".

لينا: "ولمَ ظهرت الآن فيما أنا كنت في أمسّ الحاجة إليكِ منذ وقت طويل؟"

العجوز: "ربّما يحصل الكثير من الناس على فرصة ثانية يا لينا، ولكنهم في نهاية الأمر يهدرونها مثل الفرصة الأولى. أتمنّى أن تكون هذه فرصة مناسبة لكِ.

لم يكن في مظهر العجوز ما يبعث في روحي الطمأنينة ولكن الوقت الذي ظهرت لي فيه هو الشيء الوحيد الذي أجبرني علي أن أصدقها وأثق في كلامها.

لينا: "أنا بحاجة لهذه الفرصة حقّاً، فأنا لم أرد أبداً أن أجعل قلبي يتوقّف عن النّبض، ولكن عندما كان يتألّم كنت أريد أن أتخلّص من هذا الألم".

العجوز: "لا تخافي، سأعطيك السكينة وأخفف ألامك، ولكن كل شيء بمقابل".

لينا: "مقابل!"

العجوز: "إنَّ المقابل الذي سأطلبه سيكون غاليًا، فحذارِ من دفع هذا المقابل".

لينا: "أنت مخيفة حقّاً يا سيّدتي، ولكن كيف تكون هذه الفرصة الثّانية؟ وما هو ثمنها الغالي؟"

العجوز: "فرصتك الثانية يا لينا هي أن تختاري أيّ وقت في الماضي تعودين إليه لتغيّري ما أنت فيه الآن، وأنا سأعيدك وأنت مدركة لكل شيء لتستطيعي تفادي الأخطاء الّتي وقعت فيها في السّابق".

لينا: "هل حقاً تستطيعين فعل هذا!"

العجوز: "وبكلّ سهولة".

لينا: "أعتقد حقاً أنك معجزة يا سيدتي، ولكن ما مقابل هذا الأمر؟ لابد أنه سيكون مقابلًا غاليًا جدًّا".

العجوز: "استمعي إليَّ جيّداً، إن أعطيتك الفرصة الثّانية وكانت نهايتها الانتحار كالفرصة الأولى ستصبحين خادمة لدي، وأنت لا تعلمين ما مصير من يخدم عندي".

عندما سمعت المقابل كنت خائفةً، ولكنني شعرت أنَّ الانتحار أصعب بكثير من المقابل الذي طلبته منّي هذه العجوز. لكنّني فكّرت مليّاً ليس في رفض أو قبول عرض العجوز، وإنّما كنت أبحث عن الوقت المناسب الذي أعود إليه ويغيّر كلّ شيء.

لم أعلم أين ومتى هو هذا الوقت، أين نقطة التحول التي ستغير مسار حياتي للأفضل؟ ورغم أنني كنت متأكّدة من تواجدها إلا أنني كنت خائفة ومشتتة، فبعدما كنت سأنهي حياتي جاءتني فرصة لأبدأ حياتي من جديد.

بعد بضع دقائق اخترت الوقت الذي سيغيّر حياتي. كنت في تلك اللّحظة مستعدّةً للرّجوع وجعل مصيري أفضل. حينها، نظرت للعجوز نظرة ثقة قائلة: "أنا مستعدّة للعودة ولتغيير حياتي، لقد وجدتُ الوقت المناسب".

العجوز: "هل فكّرت جيّداً؟"

لينا: "نعم، هذه المرّة لن أخيب، ولكن أنتِ أخبرتني بأنّني سأكون مدركة بكلّ أمور حياتي الحالية".

العجوز: "نعم، ستكونين مدركة بكل أمور حياتك".

لينا: "أريد أن أعود لبداية الشهر السّابع في بطن أمّي".

العجوز: "حقاً؟ هل هذا الوقت المناسب لك؟"

لينا: "نعم، أريد أن أُولد مرةً ثانية من جديد".

العجوز: "لكِ هذا، ولكن تذكري عقاب فشلك".

لينا: "حسناً، سأفعل"

لا أعلم ما الذي فعلته العجوز بي ولكنني أغمضتُ عينيّ لفترة لأجد نفسي في رحم أمّي: "يا ألله أين أنا؟ هل أنا في رحم أمّي؟ هل هذا السّائل الذي يعيش فيه الطّفل؟ هل هذه هي يداي وقدماي؟ إنهما صغيرتان حقّاً، إنّ بطن أمي رخوة جدّاً! هل هي متعبة من حملي الآن؟ هل هي تتألّم؟ هل هي بالخارج تنتظر خروجي؟ الجوّ هنا دافئ وجميل، ولكن عليّ تغيير حياتي".

هنا، قرّرت أن أضرب بطن أمّي لكي أخرج في هذا الوقت، فولادتي في موعدي هو سبب خسارتي للكثير من الأشياء. وهنا، اضطرّت أمّي للخضوع لعمليّة قيصريّة بدلاً من طبيعيّة، وكانت بحاجة للكثير من الأموال لها ولي، فقرّرت بيع القلادة وعمل العمليَّة ووضعي في الحضانة لفترة، وهنا بدأت حياتي.

بعد ولادتي، اكتشف أبي مرضه ولم يجد مالًا ليتعافى أو ليقوم بالعمليّة، وهنا تغير مصيره فقد مات هذه المرة بسبب الفشل الكبدي.

في الحقيقة، لم أشعر بالحزن عليه كثيراً، فما الذي فعله أبي عندما تعافى؟ ألم يخن أمّي؟ ليس هذا فقط، ألم يتركني أنا وهي نعاني؟ بسببه تزوّجت أبشع رجل بالعالم، لذا فهذا كان أفضل لي أنا وأمي.

أعلم أنَّ أمي ستحزن كثيراً عليه، ولكن سيكون ألمها أخفّ هذه المرّة، والأهم هو أنَّ صورة أبي ستظلّ نقيّة متّزنة محفوظة في قلبها بكلّ خير، وسأرى الحبّ في عينيها تجاهه، وسأظلّ أسمع الكلام الجيّد عنه منها. سأظلّ أمسح دموعها وهي تبكي اشتياقاً له وأقول لها: "كم أنّ أبي رجل نادر الوجود! كم كنت أتمنّى أن أراه يا أمّي! ولكنّي حقاً أشكر فرصتي الثّانية التي جعلتني لا أقابله.

بعد وفاة أبي بفترة وجيزة توفي والده وحقاً لم يكن رجل سيئاً فلم يحرم أبي من الميراث كما حرمه من العيش معه، ففوجئت أنا وأمي بانتقال الميراث لنا، وحقاً أصبح لدينا الكثير من الأموال التي غيَّرت حياتنا وجعلتنا نفعل كل ما نريد.

فقد اشترينا منزلاً كبيراً في مدينة راقية، وأصبح لدي الكثير من الملابس لا أدري عددها، وأحذية ذات ماركات عالمية.

وتعلّمت في مدارس راقية، ثمَّ دخلت كليّة الطّب التي تمنّيت من قلبي أن ألتحق بها، وهأنا طبيبة الآن تفتخر بي أمّي في كلّ مكان، وتراني نجمة لامعة في السّماء تنظر إليها كلّما أحسَّت بالظلمة.

أحبُّ كلَّ تخصّصات الطبّ وأقرأ فيها، ولكنَّني أنوي التّخصّص في الجراحة العامَّة.

أنا الآن أريد أن أعمل وأساعد كلّ شخص سواء أكان غنياً أم فقيراً.. كلُّ ما يهمّني في المريض هو رغبته في الشّفاء.

كان عليَّ أن أقضي فترة تدريب طويلة، لأَّن الجراحة تحتاج لمهارة ودقَّة عالية. أردت التدرّب في واحدة من أكبر المستشفيات حيث لديهم أحدث التّقنيات في كلّ تخصّصات الطّب. ولأنَّني طبيبة ماهرة وطموحة، استطعت أن أكون جزءاً من كيان هذه المستشفى. فهي لا تقبل إلاَّ الأطباء المتميّزين، وأنا كنت أصغر جرّاحة فيها حيث كان عمري خمسة وعشرين عاماً. ولأنَّني في فترة تدريب، كان لا بدَّ أن يكون هناك جرّاح كبير يشرف على تدريبي لأصبح من فريقه.

كنت في غاية السّعادة عندما علمت أنَّني سأكون في فريق الجرّاح المشهور كمال مراد، وعندما التقيت به لأوّل مرة ابتسم

لي وقال: "أعتقد أنَّني هذه المرَّة سأدرّب طبيبة متميّزة ربّما تتفوّق عليّ في المستقبل".

في الواقع، لم أصدّق أنَّ هذه الكلمات كانت موجَّهة لي، لذا فقد أخذتُ وعداً على نفسي أن أثبت أنَّني أستحق هذه الإشادة وبجدارة.

كمال مراد

جراحٌ مشهورٌ متخصصٌ في الجراحة العامّة، عمره أربعة وأربعون عاماً.

تزوَّج مرتين، وكل مرَّة كان زواجه ينتهي بالطّلاق. له ابنٌ من زوجته الأخيرة يحلم بأن يأتي ويعيش معه ليكوّن الحياة الأسريَّة التي يحلم بها. رغم أنَّه يملك تأثيراً كبيراً على النّساء، إلاَّ أنَّه اكتفى منهنَّ وعزم ألاَّ يحبَّ أو يتزوَّج مرّة أخرى.

****

باشرت تدرّبي في غرفة العمليّات مع الطّبيب كمال، حيث كنت سعيدة بالعمل معه، وكنت أحبُّ كلّ لحظة أقضيها الآن لأنّها بالنّسبة لي تعويضٌ عمّا عشته في حياتي السّابقة. كان عملي مقسّماً إلى فترتين، فبعد الانتهاء من الفترة الأولى كنت أذهب إلى المنزل لتناول الغداء مع أمّي وإمضاء الوقت بالتّحدّث معها، لأنّه في الحياة السّابقة كانت هنالك الكثير من الأشياء التي كنت أريد أن أخبرها بها لكنّها ذهبت وندمتُ حينها. الآن لا أريد أن أبتعد عنها ولو للحظات، ربّما كانت تلاحظ ذلك، ولكنها كانت تقول لنفسها أنَّ حرماني من الأب جعلني أحبّها حبَّ الأب والأم، لذلك لا ترى في حبّي المبالغ لها شيئاً غريباً. بعد الحديث مع أمّي، أذهب لأرتاح قليلاً، ثمّ أعود لأكمل عملي في الفترة الثّانية. إنَّ من يمتلك المشفى الذي أعمل فيه هو رجل الأعمال المشهور عامر غليل، وقد ترك الإدارة لزوجته الدّكتورة فريدة بصير.

لا شك أن إدارة الدكتورة فريدة للمستشفى إدارة صارمة فهي تنزع من تريد وتبقي من تريد ولا يهم إن كان ما تبقيه فاشلاً أو من تنزعه بارعاً ومجداً في عمله؛ المهم ألّا يكون بينها وبين الشخص المتواجد أي خلاف أو نزاع.

عامر غليل

رجل أعمال ذائع الصيت، حقَّق شهرة واسعة بسبب مشروعاته النّاجحة التي تحقّق أرباحاً خياليَّة. بالإضافة إلى أنّه رجل غنيّ، فهو رجل وسيم يمتاز بطول قامته وبشرته البرونزية، لذلك تلتفّ النّساء حوله طمعاً في أمواله وعلاقاته الواسعة. لكن لم تستطع أيَّة سيّدة أن تفسد العلاقة بينه وبين زوجته وابنه سوى الدّكتورة فريدة.

****

فريدة بصير

طبيبة متخصصة في جراحة الأورام عمرها أربعة وأربعون عاماً ذات عيون خضراء وشعر أشقر، وهي متزوجة من رجل الأعمال عامر غليل بعدما أفسدت العلاقة بينه وبين زوجته. تحبّ التحكّم في كلّ شيء وهي بالطّبع مسيطرة على عامر غليل وعلى أمواله بشكل يزعج ابنه وزوجته السابقة.

****

لقد سمعت الكثير عن علاقة عامر غليل وفريدة بصير وكيف فعلت المستحيل لتصبح على ما هي عليه الآن. كان جميع الأطبّاء يتحدّثون عنها وعن أخبارها الصّادمة، فهي في الحقيقة امرأة متسلّطة يصعب التّعامل معها، فكم من أطبّاء ناجحين ومتميّزين أجبرتهم على ترك المستشفى فقط لمشاكلها الشّخصية معهم، ولتثبت شخصيّتها الإدارية وأنَّ المستشفى ملكها وتستطيع أن تتحكّم في كلّ شيء بداخلها. كما إنها قاسية متحجّرة القلب، فالمستشفى تتلقّى كلّ يوم حالات إنسانية وأشخاصاً عاجزين عن دفع تكاليف رعايتهم الصّحية، ومع ذلك فهي لا تقبل حالات مثل هذه في المستشفى. ولكن قيل لي إن كل هذا سيتغيّر عندما يأتي ابن عامر غليل، فهو سيدير المستشفى معها ويكون ندّاً لكل أفعالها التي لا تعجبه. لذلك يظنّ الجميع أنَّ الحرب قادمة بقدومه.

أعلم أنّه من الصّعب معرفة كلّ تلك الأخبار في تلك الفترة القصيرة، ولكن إن التقيتم بصديقتي ريم، ستعلمون أكثر عن المستشفى وما يحدث فيها.

ريم

دكتورة نساء وتوليد عمرها ثمانية وعشرون عاماً، لديها شعر أسود مجعد وعيون سوداء وبشرة قمحية.

قضت في المستشفى سنتين، أثبتت خلالهما أنها جديرة بالاستمرار في هذا الكيان الضّخم. رغم أنّها صادقة وتلقائيَّة، إلا أنّه من الصّعب أن تجد لها أصدقاء. تحبّ أن تحكي كثيراً وأن تجد من يسمعها، تبحث عن شخص يقدّرها وتجد فيه الزّوج المناسب لها.

****

تعرّفت على ريم في أوّل يوم لي في المستشفى، ولكن لم أحب أن تكون صديقتي حيث كانت ثرثارة. لكن عندما رأيت في كلامها الصّدق وفهمت أنَّ هذه هي طبيعتها إذ ترى في الحديث الطّويل طريقة للألفة والتكيّف مع الآخرين، أدركت أنها لطيفة وتعودت على طريقتها فأصبحنا أصدقاء في فترة قصيرة.

ريم صديقة وفية فلا تبوح بالأسرار إذا ائتمنتها عليها.

كما إن وجودها جعلني أتكيَّف سريعاً في مكان عملي الجديد، ولم أشعر بالوحدة مطلقاً حيث كانت بالنّسبة لي كموسوعة مليئة بخفايا وأسرار المستشفى.

كان من المفترض أن أحقّق الكثير من النّجاحات في المستشفى لضمان استمراري فيها، وفي الحقيقة كان أكثر من ساعدني في ذلك هما الدّكتور كمال وريم.

فالدّكتور كمال كان يشرف على تدريبي باستمرار وكان يجعلني أرافقه في أصعب العمليّات. وريم كانت تشجّعني كثيراً وتخبرني ما يجب علي فعله لأظلّ في المستشفى.

61

بعد مرور عام من عملي في المستشفى

مرت أول سنة لي في المستشفى وكنت في غاية السّعادة لأنّني استطعت أن أكون من بين أفضل عشرة أطباء في المستشفى وضمنت استمراري فيها.

صحيح أنَّ علاقتي بالدّكتورة فريدة كانت متوتّرة ولم نألف بعضنا في اللّحظات الأولى، ولكنَّني لم أكن أقترب منها أو أحاول التّحدث معها كثيراً.

وفي يوم مليء بالعمليّات، بعدما أنهيتُ عملي كالعادة وكنت أستعدّ للذهاب إلى المنزل لتناول الغداء مع أمي، كانت المستشفى تستعدُّ للقاء شخص مهم.

أوقفتني ريم قائلة: "إلى أين أنت ذاهبة؟"

لينا: "لقد أنهيت عملي وأنا ذاهبة إلى المنزل".

ريم: "ألا تعلمين من القادم اليوم؟"

لينا: "من؟!"

ريم: "إنَّه الشخص الذي أخبرتك أنَّ الجميع ينتظره".

لينا: "هل تقصدين ابن عامر غليل؟"

ريم: "نعم، إنَّه الدّكتور فارس".

لينا: "هل اسمه فارس؟"

ريم: "نعم، هل أعجبكِ الاسم؟"

لينا: "ماذا تقصدين؟ كفّي عن تلك الأسئلة الغريبة!"

ريم: "حسناً، ولكن لا تذهبي لأنَّ الدّكتورة فريدة تريد أن نكون جميعاً حاضرين لاستقبال الدكتور فارس".

لينا: "حسناً، سأتَّصل بأمّي وأخبرها أنَّني لن آتي".

ريم: "حسناً، وأنا سأنتظرك لنذهب معاً".

بعدها اتَّصلتُ بأمّي وأخبرتها أنَّي لن آتي على الغذاء، وذهبت مع ريم لاستقبال الدّكتور فارس الذي ينتظره الجميع. لكن كنت أتساءل لماذا تريد الدّكتورة فريدة أن يتواجد جميع الأطبّاء عند حضور الدّكتور فارس؟ هل تخطّط لشيء لا نعرفه؟ أم أنَّها تنوي أن تُظهر لنا أنَّها الوحيدة التي ستدير المستشفى؟

تجمَّع الأطبّاء للتّرحيب بالدّكتور فارس عند وصوله بسيّارته الفارهة، وعندما كنت أنظر إليه قالت لي ريم إنَّه خرّيج جامعة أكسفورد، وإنَّه قد قضى فترة تدريبيَّة في أضخم المستشفيات العالميّة، ومن المتوقّع أن تزداد أرباح المستشفى بقدومه لأنَّه جرّاح مخ وأعصاب ماهر. فبعدما كانت ترفض المستشفى علاج بعض الحالات الصَّعبة في هذا المجال، ستبدأ بقبول كل الحالات فور قدومه.

كانت تلك أوّل مرّة أرى فيها الدكتور فارساً، لقد كان محاطاً بالكثير من الهتاف والتّصفيق. ربَّما حينها لم يلاحظني، فأعين

الجميع كانت عليه وأنا كنت واحدة من تلك العيون. لقد كان سعيداً بهذا التّرحيب الحار، وأخبرنا بأنَّه مسرور بالعمل معنا وبأنَّه لن يستطيع أن يفعل أيّ شيء بدون مساعدتنا، ثم قال: "لقد قضيت الكثير من السّنوات في الخارج ليس لأنني أحبّ العمل هناك، بل لأصنع من هذه المستشفى عالماً فيه كلُّ سبل الشّفاء".

فارس

جرَّاح مخٍّ وأعصاب عمره خمسة وثلاثون عاماً. لديه شعر كثيف أسود وعيون سوداء وبشرة برونزية ولحية قصيرة.

طويل القامة بارز العضلات لديه ابتسامه ساحرة وطلعة بهية.

يكره زوجة أبيه لأنها تسببت في انفصال والديه.. يحب والدته كثيراً ويري أنها ضحية إهمال والده. شخصية عملية؛ فلا يحب الإهمال أو التقصير في العمل، يصغي للآخرين ويحاول مساعدة كل من يلجأ إليه، غير مجامل وصريح في أرائه.

****

أثناء حديث الدّكتور فارس، دخلت الدّكتورة فريدة وألقت التّحية عليه ثم قالت: "بإدارتي ومهارة الدّكتور فارس ستتقدّم المستشفى نحو الأفضل".

حينها ابتسم الدّكتور فارس بسخرية ثم قال: "أعتقد أنكِ قد أخطأتِ في التّعبير يا فريدة، فما تقصدينه هو أنَّه بإدارتي ومهارتنا جميعاً ستتقدَّم المستشفى نحو الأفضل".

فضحكت الدكتورة فريدة ثم قالت: "لا فرق بيني وبينك يا فارس".

فارس: "ستمرّ الأيّام وستعلمين أنّ هناك فرقًا شاسعًا بيني وبينك".

حينها نظرت إليه بغضب وكأنَّها تتوعَّده، ثم رحلت وأكمل الدّكتور فارس كلامه لنا قائلاً: "المرضى ينتظرونكم أيّها الأطبّاء، لا أريد أن يكون قدومي سبب إهمال لهم. هيّا باشروا أعمالكم وشكراً لكم".

كنا جميعاً مدركين حجم الخلاف بين الدكتور فارس والدكتورة فريدة، ولكننا لم نعلم أن هذا الخلاف سيكون في أول مقابلة تجمعهما.

منذ يوم قدوم الدّكتور فارس وجميع الطّبيبات يتحدَّثن عنه ويتمنَّين لو تخطف إحداهنّ قلبه وتوقعه في غرامها. لكنّه لم يكن يعطي أيّ اهتمام لأيٍّ منهنّ. لقد حدّثتني صديقتي ريم عنه كثيراً، وقالت لي إنَّه ربَّما يكون قد أحبّ فتاة أجنبيَّة لأنّه قد قضى معظم حياته في الخارج. لكن لا يبدو هذا صحيحاً، فهو لم يصدّ أي طبيبة تحاول التّقرب منه، ولم نسمع أنَّه يحبّ، فهل من الممكن أن يكون لديه حبيبه خفية؟

في المستشفى التي أعمل بها، لا يوجد أخصّائيّون في الجراحة العامّة إلاّ أنا والدكتور كمال. وذات يوم، كنت قد أنهيت عملي الذي دام لساعاتٍ طويلة وقد كنت في غاية السّعادة لأَّنني سأذهب لأرتاح بعد مهمَّة كانت شاقَّة جداً، فاستأذنتُ وركبتُ السّيارة ونظرت في الهاتف لأرى السّاعة. لكن حتّى هاتفي لم يتحمّل وانتهى شحن البطّارية. وعند الوصول إلى المنزل، لم أرَ أمامي سوى السّرير.

في هذه الأثناء، حدث ما لم يخطر على بالي قطّ. لقد اصطدمت سيارتان لعائلتين على الطّريق القريب وأدّى هذا الحادث إلى إصابة ستّة أفراد بإصابات بالغة وموت ثلاثة، فنقلت الحالات المصابة إلى المستشفى التي أعمل فيها.

كانت المستشفى في حالة هلع إذ كلُّ الأطبّاء مشغولون، والمشكلة كانت أنَّ معظم الإصابات كانت تحتاج للجراحة العامّة.

كان الدّكتور كمال لا يستطيع إجراء كلّ تلك العمليّات في آنٍ واحد، فطلب من إحدى الممرّضات أن تستدعيني، لكن من سوء حظّي لم أتذكّر أن أشحن هاتفي، ومع مرور كلّ دقيقة كانت تسوء الحالات المصابة. والمشكلة الأكبر أنَّ الوقت كان متأخّراً ومعظم الأطبّاء من خارج المستشفى غير متاحين في الوقت الحالي فلا بديل لي، وعندما لم أُجِبَ طَلَبَ الدّكتور فارس من أحد الممرّضين أن يذهب ليحضرني من البيت. لكن لسوء حظّي أيضاً أنَّني لم أسمع الجرس، وأمّي أيضاً التي بقيت تنتظرني لوقت متأخّر كانت قد نامت ولم تسمع الجرس، يا لحظّي السّيّئ!

لا أعلم كيف حدث هذا ولكنني لم أستيقظ سوى في الصّباح رغم أنني كثيرة القلق ونومي متقطع ولكن يبدو أنني كنت مرهقة لدرجة جعلتني أخالف طبيعتي. اعتقدت حينها أنّه يومٌ جميل بل رائع، وعند وصولي للمستشفى رأيت جميع الأطبّاء ينظرون إليّ وكأنَّني شخص مهمٌّ - هذا ما اعتقدته - وكانت الصَّدمة عندما أخبرتني ريم عن سبب نظراتهم لي.

ريم: "لقد توفي أمس شخصان من أصل ستّة وليس لسوء حالاتهم إنّما لعدم وجود طبيب لإجراء الجراحة اللّازمة لهم".

لم ينتهِ الأمر عند هذا الحدّ، فلقد رأيت الدّكتور فارساً يقترب منّي ويبدو عليه الغضب والانزعاج. حينها، كان جميع الأطبّاء ينظرون إلينا وكأنّهم يترقّبون كلمات الدّكتور فارس لي والذي قال: "هل استيقظتِ من النّوم؟ هل نمتِ جيّداً!". ثمَّ بدأ صوته يعلو قائلاً: "أثناء نومك وامتناعك عن القيام بعملك فقدت أسرتان أحد أفرادها، هل يعجبك الأمر؟"

حينها لم أعلم ماذا أقول، ولكن قبل أن يصدر حكمه علي دافع عنّي الدّكتور كمال قائلاً: "حتّى لو كانت مستيقظة لن تكون لديها القدرة على العمل فهي كانت متعبة. لقد عَملت كثيراً يا فارس وهي إنسانة من حقّها أن تستريح. الخطأ من الإدارة فهي لم تعيّن عدداً كافياً من الأطبّاء في هذا التّخصّص. حتّى أنا الآن لم أعد قادراً على العمل، ماذا لو أتت حالة تشبه حالة الأمس؟ ماذا سنفعل؟"

حينها نظر الدّكتور فارس لي وقال: "أنا عاجز عن مسامحتك وإيجاد المبرّرات لكِ مثلما يفعل دكتور كمال، فما بالك بأُسَرِ المتوفّين؟"

وبعدها، رحل تاركاً كلماته تعذّبني وتفتك بي. لكن ما هوَّن الأمر عليَّ قليلاً كان تشجيع ريم والدكتور كمال وتعبيراتهما التي تدل على أنَّني لم أكن مخطئة. لكنَّني كنت أعلم أنَّ هناك تقصيراً مني، إلَّا أنّه لم تكن باليد حيلة، فبعض الأمور تحدث ونعجز أن نصيب فيها.

كانت تأتيني الكثير من الكوابيس على إثر هذا الحادث. لكن حاولت أن أبعدها عنّي عبر اعتنائي بباقي الأشخاص المصابين. وبالفعل، فقد تعافوا وعادوا إلى حياتهم الطّبيعية.

عمل الدكتور فارس بكلمات الدكتور كمال، حيث سمعنا بأنَّ هناك طبيبة جديدة قادمة وهي متخصّصة في نفس تخصّصي. حينها بدأت الأقاويل حتى من قبل أن تأتي، لكنَّني تعوّدتُ ألا أستبق الأمور، فربما تكون عكس ما يقولون عنها.

كان من الغريب بالنّسبة لي أنَّ ريم لا تعرف شيئاً عن الطّبيبة الجديدة على عكس عادتها، ولكنَّها أخبرتني أنّها ستكون ندّاً قويّاً لي، فهل يمكن أن تكون غامضة إلى هذا الحدّ؟ أم إنَّ ريم قد غيَّرت عادتها في معرفة أسرار الأشخاص؟

استعدَّت المستشفى لاستقبال الطّبيبة الجديدة، وقد كان استعداداً رهيباً يشبه استعداد يوم قدوم الدّكتور فارس وهذا كان بناء على طلب دكتور فارس. فمن هي تلك الطّبيبة الجديدة

التي تأخذ كل هذا الاهتمام يا ترى؟ ما زالت كلمات ريم تتردَّد على مسامعي حينما قالت لي إنَّ الطبيبة الجديدة ستكون ندّاً لي، وتساءلت حينها: (ألا يمكن أن نكون أصدقاء بدلاً من أنداد؟)

وقفنا جميعاً وفي مقدّمتنا الدّكتور فارس الذي رحَّب بالطبيبة الجديدة بحفاوة قائلاً: "أريدكم أن تتعاونوا مع الدّكتورة مريم وأن تكونوا كأسرة واحدة هدفها المحافظة على أرواح النّاس ومساعدتهم في أي وقت".

وحينها نظر إلي وكأنَّه يخبرني بأنَّها أتت لتأخذ مكاني. ثم صفَّق الجميع ورحّبوا بها.

كنت أشارك الدّكتور فارساً غرفة العمليّات نفسها سابقاً، لكن منذ ذلك اليوم الذي مات فيه اثنان بسببي لم يعد يسمح لي بالدّخول معه. وبعد قدوم مريم، أصبحت هي من تشاركه كلّ العمليَّات، بل أصبحت المرأة المجدَّة التي لا تخطئ صاحبة الإنجازات.

مريم

طبيبة متخصّصة في الجراحة العامّة ذات شعر بني طويل وعيون بنية وبشرة بيضاء. تعلّمت في الخارج حيث كانت تدرس مع الدّكتور فارس في نفس الجامعة في بريطانيا وقد أصبحا صديقين ووعدته بأنّها ستأتي للعمل معه بعدما تنتهي فترة تدريبها. تفتخر كثيراً بعائلتها لأنّ أباها رجل أعمال مشهور وأمّها مصمّمة أزياء معروفة في بريطانيا، لذلك دائماً ما تجدها تتحدّث عن جودة ملابسها وثراء عائلتها.

****

أنا حقّاً أصبحت أشعر بالغضب عندما يبدأ أحد بمدح قدرات الدّكتورة مريم، ليس لأنّها أفضل مني بل لأنّ من يمدحها أمامي يقصد أن يثير أعصابي ويقلّل من قدري واجتهادي في عملي وهذا ما لم أكن أقبله. لم يكن هناك حديث بيني وبين مريم، فقط بعض النّظرات والسّلامات وهذا ناتج عن قضاء مريم أغلب الوقت مع الدكتور فارس بحجّة أنّها الوحيدة التي يُسمح لها بمشاركته غرفة العمليات. ولكن في الحقيقة يبدو أن مريم تحب الدكتور فارساً، وهو يبادلها نفس الشعور، فبينهما تجانس غريب، ولا يبدو أن هذا التجانس منذ أتت مريم للمستشفى، بل أعتقد أنه منذ كانا يدرسان معاً في بريطانيا.

لم أعترف يوماً لنفسي بأنني أغار من مريم ولكن عندما، تلوذ بنظرات الدكتور فارس المليئة بالحب والإعجاب كنت أشعر بشيء يفوق الشعور بالغيرة أو الغضب، كان شعوراً يشبه الاختناق.

لطالما كنت أعاتب نفسي كلما جاء في ذهني الدكتور فارس بأي صورة غير التي يفرضها الواقع عَلَيَّ؛ لأنني أعلم أن مخالفة الواقع أمر أشبه ببقاء الأسماك حيّةً خارج الماء.

لا شك أن الأمور أصبحت سيّئة بعد قدوم مريم؛ فهي حاجز قوي يفصل بيني وبين الدكتور فارس، ولكن مقارنةً بحياتي السّابقة، فهذه الحياة ممتازة. على الأقلّ يمكن الإصلاح فيها، لذلك قرّرت أن أكمل تدريبي مع الدّكتور كمال وألا ألتفت لعلاقة الدكتور فارس بمريم أو تعامله السيئ معي. كما وركَّزت على أن يكون بيني وبين الدّكتورة مريم تنافس لتحسين مهارتي الطبّية وليس لتعجيزي.

قررت أنا وريم أن نذهب لنأكل بعد الانتهاء من العمل ثم نعود لاستئناف عملنا. اتَّصلت حينها بأمّي وطلبت منها ألّا تنتظرني على الغداء، فطلبت منّي بدورها ألّا أتأخّر لأنها ستنتظرني لنتعشّى سوياً. وأثناء تناولنا الغداء أنا وريم بدأت ريم في إثارة أعصابي بقولها: "أعتقد أن الدّكتور فارساً سيتزوّج عمّا قريب بمريم". فتظاهرت بعدم الاهتمام، لكنّها كانت تعلم أنني معجبةٌ به مهما حاولتُ أن أخفي أو أتظاهر بعكس ذلك.

وأثناء حديثنا دخل شاب إلى المطعم وكان معه مسدّس، واتَّجه ناحية طاولة يجلس عليها شاب وفتاة ثم صاح بصوت عالٍ قائلاً: "ستتركينني يا ليلى وتتزوّجين بهذا الأبله؟ ألم تقولي لي إنَّ الموت وحده هو ما سيفرقنا؟ أكنتِ تخدعينني؟ أعلم ماذا

كنت تقصدين بالموت، الموت هو ذلك الشخص الذي فضّلته عليَّ".

ثم أطلق النّار على الشّاب الذي كان يجلس مع الفتاة وبدأ الناس بالصراخ وبدأت تلك الفتاة التي تسمّى ليلى بالصّراخ أيضاً ثمّ قالت وهي تبكي: "ماذا فعلت، فلينقذه أحد، اطلبوا الإسعاف، أما من طبيبٍ هنا؟"

ورغم اهتزاز الشّاب وخوفه بعد إطلاق النار، إلّا أنّه فقد السّيطرة على أعصابه وظلَّ يوجّه المسدّس ناحية أي شخص يحاول الحركة. ثم بدأت ليلى ترجوه أن يخفض سلاحه وألا يتمادى في الخطأ وأن يسمح بعلاج حبيبها.

وبالفعل، أشار هذا الشّاب الذي يحمل المسدّس إلى ريم قائلاً لها: "اطلبي الإسعاف." وبالفعل، طلبت ريم الإسعاف ولكن قبل أن يأتي الإسعاف وصلت الشّرطة وحاصرت المكان.

حينها هدَّد الشّاب موظّفي المطعم قائلاً: "أغلقوا كلَّ الأبواب وإلا قتلتكم جميعاً".

استمرَّت ليلى بالصّراخ والبكاء قائلة: "ماذا تفعل يا طارق؟ اترك السّلاح، دعهم يساعدون خالد، إنّه يموت".

عندها قالت ريم له: "دعنا نساعده ريثما يصل الإسعاف فنحن أطبّاء".

طارق: "الشّرطة في الخارج ولن أفلت من العقاب، ولن أتزوّج مِمَّن أحببتها فلمَ تنقذوه؟ دعوه يموت فهو من سرقها منّي وجعلها تكرهني".

وصل الإسعاف لكنّ طارقاً رفض أن يُدخل الإسعاف أو يجعل أحداً يساعد المصاب خالداً.

لقد رأيت أمامي حالة المصاب تسوء، فقد كان يفقد الكثير من الدّماء كما كانت ليلى منهارة وكان حزنها على حبيبها يشعل نار الانتقام في قلب طارق. وكان لا بدّ بأن يقوم أحد بتهدئة طارق حتى لا يقوم بإيذاء أيّ شخص آخر.

وعندما فكرت بأن أكون هذا الشّخص الذي يتحدّث مع طارق ليهدِّئه راقتني الفكرة، ولكن لم تعوزني الإرادة في تنفيذها، ولكن عندما ساء الوضع توجهت ناحية طارق وقلت له: "يبدو أنّك عاشق مجنون.. إنَّ طاقة الحبّ التي لديك لا تستحقّها تلك الفتاة، أنت تستحقّ فتاةً تلاحقك طوال الوقت وتشعر بحبّك وتقدّره. طارق إن أحببت شخصاً فاتركه، إن عاد إليك فهو ملكك وإن لم يعد فتمنَّى له الخير، لا تكن كالسّجن الذي ستحبس فيه ليلى طوال حياتها بل كن الفرصة التي ضاعت منها وستتحسّر على تركها. ومن يعلم ربّما تقابل من هي أفضل منها، لكن لن يحدث هذا إذا مات خالد؛ لأنّك حينها ستقضي معظم

حياتك في السّجن وليلى ستلعنك طوال حياتها. إن أردت أن تسمع صوتاً يريد أن يساعدك بإخلاص لأنّه يعلم كيف تشعر، فاسمح لي أن أعالج خالداً واسمح للإسعاف بالدّخول وسنقول جميعاً أنَّ الرّصاصة خرجت نتيجة شجار. أعتقد أنّك إن تركت ليلى وخالداً على حالهما والتفتَّ لنفسك سيتنازلان عن حقّهما. أمامك الفرصة يا طارق فلا تضعها".

فجأة رأيت طارقًا يقترب منّي ومعه المسدس، حينها تسمَّرتُ في مكاني وغاب صوتي وجفَّ حلقي وشعرت بالخوف وبدأت ألوم شجاعتي التي ساقتني للتحدُّث مع طارق.

لكنني لم أكن أعلم أنَّ كلماتي ستكون مفيدة إلى هذا الحدّ، فقد بكى طارق بكاء العاجز الذي ساقه عشقه لفعل شيء لم يكن يوماً سيفعله، بعد ذلك أعطاني طارق المسدّس وسمح لي بأن أعالج خالداً، وقال لي: "أنت اليوم يجب أن تفتخري بنفسك ليس لأنَّك طبيبة وستساعدين هذا الأبله، إنّما لأنّك إنسانة جعلتِ الضّوء يصل إلى قلب شخص مظلم".

حينها، ابتسمت له وقلت: "حماك الله وهداك إلى طريق الصّواب".

بعدها أخذنا خالداً إلى المستشفى واستطعنا أن ننقذه ونعيده إلى ليلى. ورغم سعادة ليلى برجوع خالد، إلَّا أنَّني متأكّدة بأنّها تشعر بأنّها ظلمت شخصاً يحبّها كطارق.

أعلم أن تصرف طارق كان خاطئاً، ولكن ليلى شاركته في هذا الخطأ؛ فهي لم تراعِ مشاعره وجرحته بهجرها الغير مبرر، ربما كان عليها أن تحسِّن الأمور بينها وبين طارق وتتأكد أنه لن يقوم بأي فعل مؤذٍ للشخص الذي سترتبط به. ليلى لم تراعِ أن ماضيها يمكن أن يلاحقها ويسرق منها فرحة حاضرها ومستقبلها.

بعد حادثة ليلي وطارق المليئة بالانتقام والحب والذي تعلمت منها الكثير من الدروس والمشاعر الفياضة صدمت بخبر جعلني أتألم بشدة.

فلقد جمعنا الدّكتور فارس وأعلن خطبته على مريم، وقال إن الزّواج سيكون قريباً.

بدأ الأطبّاء بالتّهنئة فيما كانت الطّبيبات منزعجات لكنّهنّ أيضاً هنَّأنهما على الخطبة. أما ريم فنظرت لي قائلة: "لينا، لا بدَّ لنا أن نهنِّئهما على الخطبة".

لينا: "حسناً هيّا بنا".

ذهبت ريم وأنا كنت خلفها وقالت: مبارك لكما، ولكن متى سيكون العرس؟".

مريم: "سأسافر قريباً إلى بريطانيا لأجهّز الأمور مع عائلتي ونأتي لنقيم العرس هنا".

ريم: "بالتوفيق".

مريم: "شكراً على اهتمامك".

بينما أنا فلم أستطع إخفاء نظراتي، كنت أنظر للدكتور فارس نظرات فيها الكثير من الأسي وعدم الرضا وكأنني أودعه وقد لاحظ ذلك فنظر لي مبتسماً ثم قال: "أعلم أن هناك بعض

الخلافات بيننا ولكن هل هذا سيمنعك من أن تهنئيني أنا ومريم؟"

لم أستطع تغيير ملامح وجهي الذي بان عليه الحزن والانزعاج، لكنّني حركت رأسي قائلةً: "لا أبداً، بالطّبع سأهنّئك.. أقصد سأهنّئكما، مبارك لكما".

بعدها غادرت مسرعة قبل أن تكشفني عيني وتبكي.

مرت بعض الأيّام ولاحظت ريم تغيّر حالي والحزن الذي لم يفارق هيئتي. وفي هذه الأثناء سافرت مريم إلى بريطانيا لأن أعمال أبيها وأمها هناك، كما كانت لمريم أخت واحدة تدرس هناك الطبّ أيضاً.

كان كلّ يوم يمرّ أعلم أنّه يبعدني أكثر عن الدّكتور فارس لأنه يقرّبه من مريم.

مع استمراري بهذه الحالة، قرّرت ريم أن تتحدّث معي، وبعد انتهائي من عمليّة جراحيّة أوقفتني ريم قائلة: "أريد التّحدث معكِ يا لينا".

لكنّني أخبرتها بأنّي مشغولة ولا أريد التّحدث، إلّا أنها أصرّت وبدأت تسألني قائلة: "كوني صريحة معي يا لينا، أنت تحبّين الدكتور فارس؟"

وأثناء حديث ريم معي كان الدكتور فارس يبحث عنّي لأنّ هناك عمليّة يريدني أن أشاركه غرفة العمليّات فيها. كان ذلك بعدما سافرت مريم، وقد كان الدّكتور كمال مشغولاً.

وعند اقترابه منّا، سمع بالصّدفة سؤال ريم لي وانتظر أن يسمع إجابتي. كانت هذه أوّل مرة أصارح فيها ريم بما في داخلي، ربّما لأنّني لم أستطع أن أخفي مشاعري أكثر فأجبتها قائلة: "نعم، أحبّه ولكن ما الفرق فهو لا يعلم، وحتى وإن علم لن يبالي، وسأضطرّ للاعتذار له بسبب مشاعري".

ريم: "ولكن كيف أحببته يا لينا؟ لقد كان دائماً فظّاً غليظاً معك!"

لينا: "لقد وجدتُ له كلّ المبرّرات. كانت كلماته القاسية بالنّسبة لي كالتّشجيع الذي حسّن من مستواي. كنت أريد أن يتحدّث معي أيّاً كان هذا الحديث. أنت لن تفهميني ولكنّني عانيت كثيراً بعدما علمت بخبر زواجه من مريم".

ريم: "وماذا ستفعلين يا لينا؟ ستظلين على هذا الوضع وهو لن يعلم بحقيقة مشاعرك".

لينا: "لا تقلقي، عمّا قريب سينتهي هذا الأمر".

ريم: "كيف سينتهي؟"

لينا: "ستنتهي فترة تدريبي قريباً وسأذهب للعمل في مستشفى آخر".

ريم: "ماذا تقولين؟ لطالما حلمت أن تعملي هنا، هل ستتخلّين عن حلمك بسبب الدّكتور فارس؟"

لينا: "لن أستطيع أن أبقى هنا بعد الآن".

ريم: "هل ستتركينني؟"

لينا: "لا يا ريم، ستظلّين صديقتي دائماً".

بعدها احتضنتني ريم ثم تركتني لأكمل عملي. لكنّها لاحظت الدكتور فارساً وهو يغادر وكأنّه كان في مكان قريب منّا وظنّت أنّه لربّما استمع إلى حديثنا. لكنّها لم تخبرني بذلك حتى لا تزعجني أو تشغل بالي، واعتقدت أنّها صدفة ولربّما هو لم يسمع شيئاً".

في هذه الأثناء، ظهر مرض جديد كان منشؤه في مدينة (ووهان) في الصّين. نعم، إنّه (كوفيد-19) المعروف باسم كورونا. هذا الفيروس يسبب التهاباً رئويًّا حادًّا كما تصحبه أعراض شديدة كارتفاع درجة الحرارة والسّعال. لا أعلم، لكنّني أعتقد بأنّي سمعت عن هذا الفيروس منذ فترة طويلة. ربّما يكون في حياتي السّابقة ولكنّني لا أتذكّر جيّداً ما حدث.

ازداد العمل في هذه الفترة لأنَّ أعداد المصابين كانت تزداد سريعاً، وأيضاً أعداد الوفيّات.

كانت أمّي تخاف عليَّ كثيراً من هذا الفيروس، وكانت تدعو لي باستمرار. وأنا أيضاً كنت قلقة عليها ليس لأنّها ستصاب بالعدوى من الخارج فأنا قد منعتها من الخروج، لكن كنت أخاف عليها من نفسي فأنا أخالط المرضى باستمرار وأخاف أن أصاب وأنقل لها العدوى.

أدعو الله دائماً ألا أكون سبباً في إصابة أي أحد. وأن أكون سبباً في شفاء ملايين المصابين.

(كوفيد -19) جعلني ألتقي بامرأة تأثَّرتُ بها كثيراً تسمى (أمل).. تلك السيدة كانت تحلم بأن يكون لديها طفل منذ أربعة عشر عاماً، وبعد صبر دام تلك السنين الطويلة، أعطاها الله ما تريد، فهذه كانت أول مرة يكتمل نمو الجنين في رحمها، ولكن هذه السيدة أصيبت بفيروس كورونا في شهرها السابع، والذي جعلها ضعيفة ومصابة بضيق حاد في التنفس. بمرور الوقت أصبحت تلك السيدة تعاني من ألام الحمل والفيروس، ولم تأثر أعراض الفيروس على الأم فقط بل أثَّرت على الجنين، ممَّا استوجب القيام بعملية ولادة مبكِّرة، وعندما ذهبتُ للسيدة لأخبرها بأمر الولادة المبكِّرة كانت متعبة للغاية، ورغم ذلك أوقفتني قائلة: "لا أريد أن أفتح عينيَّ ولا أجد طفلي بجانبي، لا تكذبي عليَّ، هل وضع طفلي بخير؟"

حينها ابتسمت لها برفق وقلت: "لا تقلقي، إنه بخير، كما إن الكثير من الأمَّهات يتعرضن لعمليات الولادة المبكِّرَة".

أمل: "أرجوكِ، مهما كان وضعي سيئاً بعد العملية، أريد أن أري طفلي ولو لمرة واحدة، هذه ستكون أمنيتي الأخيرة".

لينا: "لا تقلقي، ستكونين بخير وسترين طفلك وهو يكبر أمام عينيكِ، ولكن يجب عليكِ أن تكوني قويَّة؛ فأنتِ الآن أمام تحدٍ كبير، فلن يكون عليكِ تَحَمُّل ألمِ الولادة فقط، بل سيكون عليكِ أيضاً مقاومة أعراض الفيروس.

أمل: "سأعود من أجله، أخبري طفلي بهذا إن بكى وأنا لست بجانبه".

لينا: "لن يبكي طفلك، فهو قوي مثلك، ولكن عليكِ أن تتعافي سريعاً حتى لا يطول غيابك عليه".

لا شكَّ أن عملية الولادة كانت مؤلمة، ورغم أن هذا التخصص لم يكن تخصصي إلا أني دخلت غرفة العمليات مع ريم لأطمئنَّ على حال أمل، تلك السيدة الصبورة والمشتاقة لرؤية طفلها.

تمت العملية بنجاح وتم نقل الطفل للحضَّانة، ولكن الأم كانت ضعيفة للغاية وخصوصاً بعد العملية، وكانت توقعاتنا جميعاً لها أنها ستموت ولكن قوة وإصرار تلك السيدة كانت أقوى من أي ألمٍ أو مرض يمكن أن تتعرض له، حُبُّها واشتياقها لرؤية ابنها جعلها متمسكة بالحياة لدرجة لا توصف.

بعد ثلاثة شهور استعادت الأم كامل عافيتها، وأنا كنت خلال تلك الشهور أعتني بها جيداً وأجعلها ترى طفلها من بعيد

عبر حاجز زجاجي لكي يكون لها كحافز لتتغلب على أعراض الفيروس القوية.

لم أكن أنا الوحيدة المتأثِّرة بتلك السيدة وقصتها المثيرة للإعجاب، بل كل أطباء المستشفى ويوم لقائها بطفلها وقفت أنا وجميع الأطباء لنرى أول لقاء يجمعهما.

أمسكت أمل طفلها وكأنها أمسكت بأملها الذي أبقاها على قيد الحياة، ظلَّت تحتضنه وتقبله وتبكي بشدة ونحن جميعاً بكينا متأثرين بالمشهد الذي لم أجِد له عنواناً يصفه فهو مشهد حامل للكثير من مشاعر الحب والاشتياق.

قبل أن تغادر أمل وطفلها المستشفى شكرتني كثيراً وقالت لي: "لن أنسى ما قدمتِه لي من دعم، لقد تفهمتِ مدى رغبتي في أن أُصبح أماً".

كنت في غاية السعادة لتعافي أمل وعودتها لطفلها لتربيه وتهتم به، لا شك أن طفلها محظوظ لأنه حصل على أم حنونٍ ستحبه وتعتني به.

انتشر في المستشفى خبر سيئ وهو خبر وفاة والد مريم بمرض (كوفيد – 19). شكّل الخبر صدمةً للجميع ولكن رغم أنّه خبر سيّئ إلا أن الدكتور فارساً كان خائفاً من خبر أسوأ وهو

إصابة مريم، خصوصاً بعد ازدياد أعداد المصابين في بريطانيا وعندما قرَّر الدّكتور فارس أن يسافر إلى بريطانيا ليطمئنّ على مريم ويواسيها بوفاة والدها، كان الطّيران قد توقّف وكان خروج الأطباء أمراً صعباً لأن البلاد تحتاجهم، فلم يستطع السّفر إليها، وهي لم تستطع أن تأتي إليه هي وعائلتها.

لقد لاحظنا جميعاً توتّر الدّكتور فارس وخوفه على مريم، وكان خوفه في مكانه، فقد أصيبت مريم وأختها وحجزتا في المستشفى، وكانت والدة مريم هي الوحيدة التي لم تصب في العائلة إذ هي من أخبرت الدّكتور فارساً بهذا الخبر.

لم يستطع الدّكتور فارس الانتظار أكثر بعدما علم بإصابة مريم، وحاول أن يسافر إليها بكلّ الطّرق. وأثناء محاولته السّفر وصله خبر وفاة مريم. لم يستطع الدكتور فارس تصديق الأمر كما لم يستطع أن يصدّق أي منّا خبر وفاة مريم. فهي صغيرة في السّن وكان سفرها بغرض تحضير أمور الزّواج، من يصدّق أنّها لن تعود؟!

لقد كان خبر وفاة مريم مؤثراً حزيناً يثير ألوناً من اللوعة والحسرة فالبعض قد خنقتهم العبرة فسالت دموعهم عند

سماع الخبر والبعض الأخر قد اصفرت وجوههم وتغيرت تعابيرها لتعبر عما في نفوسهم من حزن وأسي علي رحيل مريم.

لقد حزنتُ على مريم كثيراً، فلم يكن من طبعي تمني الشر للآخرين، كما أني كنت حزينة لرؤية الدّكتور فارس بهذه الحالة السّيئة فلقد أصبح شاحب الوجه غائر العينين كما انقطع عن العمل لفترة وأصبح يقضي الكثير من الوقت وحيداً مستجمعاً ذكرياته معها. البعض كان يقول إنه لا يأكل ولا ينام. كنت أسمع تلك الأخبار وأتمنّى أن أكون بجانبه لأخفّف عنه، لكن لم يكن الدّكتور فارس يقبل المواساة من أحد.

أدعو الله أن يرحم مريم ووالدها ويرحم كل من مات بهذا الفيروس، وأن يشفي أختها ويصبّر والدتها، ويهوّن على الدكتور فارس وحدته ويفتح قلبه للحياة مجدّداً.

ظلَّ الحزن في قلوبنا كلّما تذكّرنا الدكتورة مريم ورأينا حالة الدكتور فارس، ولكن ما كان يهوّن علينا هو شفاء الحالات التي تصل إلينا، فلقد عملنا جاهدين على مساعدة المصابين للوصول إلى الشّفاء والحدّ من انتشار الفيروس.

هذا الفيروس لم يكن ألمه فقط في أعراضه إنما كان في فقد المقربين واحداً تلو الأخر، أعلم أننا سنتعلم الكثير من الدروس بعد التجربة العنيفة التي خضناها مع هذا الفيروس.

بعد فترة ليست بالقليلة، استطعنا أن نتخلّص من خطر كورونا، وذهبت الغمَّة، وعادت المساجد تنادي على المصلّين، وامتلأت الكعبة كالسّابق، وعادت الأفراح تقام، والجنائز تشيَّع. وعادت حركة المواصلات إلى طبيعتها، وفتحت المطارات، وعاد السّلام والقبلات بين النّاس، وعدنا نزور الأقارب دون خوف منهم أو عليهم.

ربما كان هذا الفيروس درساً لنا لنبتعد عن المعاصي، ونعلم أن الحياة ليست دائمة، وأن فيروساً صغيراً لا يُرى بالعين المجرّدة قد أوقف الحياة بأكملها، وأظهر أن العلم مهما تطوّر لن يوقف ما أمر الله بإنفاذه، وأن علينا التّقرب من الله لكي يرحمنا ويهوّن علينا صعاب الحياة، فهو وحده القادر على ذلك.

انتهت مدّة تدريبي مع زوال خطر (كوفيد – 19). وكان عليّ أن أرحل، فلم تعد المستشفى تناسبني.

ذهبت إلى مكتب الدكتور فارس الذي تضاءل داؤه وتدرج نحو العافية وعاد إلى وجهه البريق والإشراق، لأستأذِنَ منه وأبلغه بقراري.

لينا: "دكتور فارس، لن أستطيع أن أتابع العمل في المستشفى؛ لقد حصلت على عرض من مستشفى آخر وأريد أن أستأذن".

الدكتور فارس: "وماذا أيضاً؟"

لينا: "ليس هناك المزيد، هذا طلبي فقط".

الدّكتور فارس: "ولمَ سترحلين يا لينا؟ لقد انتهى الأمر، مريم ماتت ولن تعود".

لم أفهم معنى هذا الكلام في اللّحظات الأولى، ولكن بعد برهة أدركت أنّه من الممكن أن يكون قد سمع حديثي مع ريم. لم أستطع أن أضيف المزيد فقد كنت في قمّة الخجل. ماذا سأقول لأخرج من هذه الورطة؟

وجدت نفسي أقول: "يبدو أنّ هناك سوء تفاهم".

نظر إليّ الدّكتور فارس بعدما لاحظ عليَّ الحرج والتّردد قائلاً: "وهل سترحلين قبل أن تصحّحي سوء التّفاهم الذي بيننا؟"

لينا: "أعتقد أن الرّحيل ونسيان بعض الأمور هو الحلّ الأفضل".

الدكتور فارس: "أريد أن نتحدّث، ولكن ليس الآن، كما إنني أريدك أن تعلمي أنّني لن أتخلّى عن طبيبة ماهرة مثلك".

لينا: "ولكن أنا..."

الدكتور فارس: "لم أتدارك بعد رحيل مريم المفاجئ، ولكن أعدك أنّه عندما يخفّ هذا الألم الذي بداخلي سنتحدّث، وحينها سأترك لكِ فرصة الاختيار في البقاء أو الرّحيل".

لم أعلم حينها ماذا أفعل، ولكنّني كنت أرى في حديثه أنَّه يطلب منّي أن أكون بجانبه في هذه الفترة حتى يستعيد قوّته وينسى ألم وفاة مريم، وأنا وافقت.

ذهبت لأبحث عن ريم وأخبرها بالحديث الذي دار بيني وبين الدكتور فارس، فهي كانت متأثّرة للغاية برحيلي.

وعندما أخبرتها أنّني لن أرحل، كانت سعيدة للغاية. وحقاً أنا أيضاً كنت سعيدة لأنّه من الصّعب أن أجد صديقة تشبه ريم.

وعندما قصصت عليها الحوار الذي دار بيني وبين دكتور فارس أخبرتني أنَّها لاحظت الدكتور فارساً عندما كنّا نتحدث، حينها تأكّدنا أنه سمع حديثنا.

كنت في قمة الخجل والتّوتر بعدما تأكَّدَ أنَّ الدكتور فارساً سمع حديثي مع ريم، فقرّرت ألَّا ألتقي به وأتجنبه قدر المستطاع، ولكن كيف تهرب من شيء مقدر لك؟

بدأ الدكتور فارس يتقرّب مني أكثر، وأصبح يدعوني للعشاء كثيراً ويخرج ويضحك معي على غير العادة. أصبحت أنا وفارس صديقين. ربَّما كنت أراه يتغلّب على ألم غياب مريم في كل مرّة يجلس فيها معي، وكأنّه يحاول أن ينساها من خلالي.

لم أكن سعيدة بهذا التّحول، خصوصاً أنَّني أعلم أنه لا يحبّني، فأنا فقط إنسانة مسكينة أخرجت مشاعرها دون أن تدري أن الشّخص الذي أخفتها عنه يستمع إليها. ماذا أفعل؟ هل أتقبّل دور البديل أم أضع نهاية وأرحل؟

لن أنكر أنني كنت أستمتع بكل لحظة أقضيها مع فارس وكأن الزمن يتوقف وقت تواجدي معه، حينها أنسى كل المشاكل وأنسى ما مررت به في حياتي السابقة وأجد نفسي في حلم جميل لا أريده أن ينتهي، ولكن عندما أجلس وحدي وأفكر بعلاقتي معه تحثني نفسي على الاستيقاظ من الحلم والابتعاد عن فارس؛ لأن الحب الذي يجمعني به هو حب من طرف واحد، ولطالما كان هذ الحب مؤلماً، ليس فيه تبادلٌ للعطاء.

ذات يوم كنت أتحدث مع ريم عن مريض تدهورت صحته ولا نعلم سبب ألمه، وأثناء تحدُّثِنَا لفت انتباهنا أمر غريبٌ لم نكن نتوقّعه.

حيث رأينا الدكتورة فريدة تُوقف الدكتور كمالاً وتخبره أنّها لم تعد تستطيع العيش بدونه! لكنَّه أسكتها سريعاً وأخبرها بأنها ستجعل الجميع يسيء الفهم. كما ذكَّرها بأنها امرأة متزوّجة ويجب عليها أن تحسن التّصرف، وأنَّ قلبه لم يعد يحبّ، وكل ما يشغله هو ابنه الذي يحلم بأن يعيش معه. ثم رحل وتركها تبكي.

لم نصدّق ما رأيناه أنا وريم، لأنَّ الدكتورة فريدة لا يبدو عليها أنّها تستطيع أن تحب، فهي امرأة كل ما تسعى إليه هو المال، كما أنّنا لم نعلم ما العلاقة التي تجمعها بالدكتور كمال.

يبدو أن علاقتهما سرية جداً، فلم أسمع أحداً يهمس بها، ولكن ريم أخبرتني أن هذا الأمر سيكون كارثة إذا علم عامر غليل أو فارس شخصياً به. ومع سماع هذا الكلام من ريم، أدركت أن الدكتورة فريدة ضعيفة أمام حبّها للدكتور كمال لأنّه أمرٌ إن فُضِحَ سيُخسِرها الكثير من الأشياء ومع ذلك تستمرّ فيه.

اتفقت أنا وريم أن ننسى ما رأيناه ولا نخبر به أحداً؛ فهذا الأمر إن كشف سيجلب الكثير من المشاكل.

بعد يوم طويل من العمل، طلب مني فارس أن نخرج معاً.. ربما كنت أريد الرّفض ولكنّني وافقت كالعادة، فكيف ترفض شخصاً تهواه وتعشقه؟

ذهبنا إلى مكان يشبه الميناء، حيث كانت أمامنا مياه زرقاء صافية وكان الجو بارداً قليلاً، لذلك أحضر فارس لنا مشروباً ساخناً وجلسنا نتحدث. بدأ فارس الحديث قائلاً: "لقد وعدتك من قبل أنّنا سنتحدّث، وأعتقد أنه قد حان الوقت".

نظرت حينها إليه باهتمام وكأنّني أريده أن يضع لقصّتنا عنواناً، ولكن في نفس الوقت كنت خائفة من أن يكون عنواناً غير مناسب.

أكمل فارس حديثه قائلاً: "أريد أن أكون صريحاً معك يا لينا، لقد سمعتك عندما كنت تتحدّثين أنت وريم.. كان الأمر أشبه بالصّدفة، يعني أنني لم أقصد التنصّت عليكما، ولكن فقط سمعت سؤال ريم لكِ".

كنت أريد الهرب من الحديث، لكنّه أصرَّ عليَّ بإكماله: "أعلم أنّه من المفروض ألا أهتمّ بإجابتك حينها، إلَّا أنّني انتظرت أن أسمعها. لا أعلم لمَ، ولكن حتى بعدما سمعتها لم أستطع أن أنساها أو حتى أتغاضى عنها، فما معنى هذا من وجهة نظرك؟"

لينا: "لا يعني هذا أيّ شيء، وأرجو منك ألَّا تهتم، فأنا لو كنت أعلم أنك تستمع لحديثي لما أجبت عن هذا السؤال".

فارس: "قلتِ إنّكِ لن تجيبي، ولكنك لم تقولي إنك ستقولين العكس. هذا لا يغيّر من حقيقة الأمر، أليس كذلك؟"

لينا: "لمَ تحاول التّلاعب بالكلمات؟ لا أريد التّحدث في هذا الموضوع".

فارس: "أنا متأكّد من أنّك تريدين. لينا، أنا أطلب منك ألَّا تخجلي من تلك اللّحظات التي اعترفت فيها بحبك لي، لأنَّها بالنسبة إلي من أثمن اللَّحظات".

بعد تلك الكلمات، وقفت كلّ الأصوات التي بداخلي، ولم

أسمع سوى صوت نبضات قلبي، وانتظرت حتى يكمل حديثه الذي كان يخترق قلبي قبل أن تسمعه أذناي.

فارس: "أنا أقدّر مشاعرك يا لينا، وأريد أن أعترف لكِ بشيء سيزيل الخجل، ويجعلك تدركين أن مشاعرك لم تخرج هباءً".

وعندما همَّ ليكمل حديثه، رنَّ هاتفه، وكان هذا الاتصال من المستشفى وبدا أنَّ الأمر خطير. فقد أخبروه بأنَّ ريم محتجزة في إحدى غرف المستشفى وهناك شخصٌ معه مسدس يهدّدها به.

أسرعنا أنا وفارس وكنت خائفة جداً على ريم، وتمنَّيت ألَّا يصيبها أي مكروه.

وعندما كنَّا في السيارة، نظرت لفارس وقلت لنفسي ربّما أريد أن أسمع اعترافه، ولكنَّني كنت غير مستعدّة له.

عند وصولنا للمستشفى، رأينا جميع الأطباء واقفين أمام الغرفة المحتجزة فيها ريم، ثم أخبرتنا إحدى الممرّضات أن هناك شخصاً في الداخل زوجته حامل، وهي في حالة حرجة وعلينا إنقاذها، لكنَّ الطفل سيموت. وعندما أخبرته الدكتورة ريم بأنه سيفقد ابنه مقابل إنقاذ زوجته احتجزها في الغرفة بالسّلاح، وهو يجبرها الآن على إنقاذ طفله.

عندما سمع فارس هذا الكلام من الممرضة قال: "لا بدَّ لنا أن نتصرّف بحكمة، نحن لا ندري مع أي عقليَّة نتعامل".

لكنَّني ومن خوفي على ريم، ذهبت مباشرةً ناحية باب الغرفة وصرخت: "أدخلني يا هذا وأنا سأنقذ طفلك، لكن لا تؤذِ صديقتي".

ولكن في تلك اللحظة صرخ فارس قائلاً: "ماذا تفعلين يا لينا عودي ولا تعرضي نفسك للخطر".

لم أستطع أن أترك ريم لذلك لم ألتفت لكلام فارس وبعد دقائق قليلة سمح لي الشخص الذي يحتجز ريم بالدّخول فرأيت المسدّس مصوباً على رأس ريم وكانت الصدمة عندما رأيت الشخص الذي يمسك المسدس أنّه "علي"، ذلك الشخص الذي هربت منه في حياتي السابقة، والذي فكّرت بسببه في الانتحار. عندما رأيته تذكّرت كل الماضي وذكرياته السيئة، لكنّني حاولت أن أكون قوية أمامه للمرة الأولى. بدأت معه بالحديث قائلة: "اهدأ، سنحاول حلّ الأمور".

لكنّه صرخ قائلاً: "لا تكفيني المحاولة، أنا شخصٌ سيئ جداً أنت لا تعلمينه بعد. تلك الطبيبة تخبرني أنّ ابني سيموت مقابل أن تعيش تلك المرأة".

كنت أريد أن أخبره بأنّني أكثر شخص يعرف حقيقته، لكنّني آثرت الصمت حتى لا أقع في فخّ التّبرير.

لم يعلم أحدٌ جديّة ما يقوله عليٌّ سواي، فأنا أعرف عليًّا جيداً، إنّه شخص مجرم يعاني من قلّة العاطفة.

أخبرت ريم أنه علينا إنقاذ الطفل مهما كلّف الأمر، لكنّها فاجأتني عندما أخبرتني بأنّ الحمل خارج الرّحم.

كان لا بدَّ لعلي أن يفهم الأمر، ويعلم أن الله لم يكتب له بأن يرزق بطفل، لكن عندما أخبرته بأن الطفل لن يأتي مهما حاولنا، رفع عليَّ المسدس وقال: "هذه المرأة ثالث زوجة لي ومع ذلك لا تستطيع أن تنجب لي طفلاً". ثم صرخ وقال: "ما العيب في أولئك النساء؟".

وأطلق النّار على زوجته. ارتعب كل من في المستشفى وظن فارس أن الطَّلقة قد أصابتني فأبلغ الشّرطة وحاول أن يدخل الغرفة، لكنَّه لم يستطع.

وللأسف، الطلقة أصابت زوجة عليٍّ في مكان خطير، وقد هدَّدنا هو بأنَّه إذا لم يخرج من هنا سالماً سيطلق النار علينا.

وصلت الشرطة، وبدأ أحد الشرطيّين بالتّحدث مع عليٍّ لكي يسلّم نفسه.

لم يستمع عليٌّ لتهديدات الشرطة، وأمسك بي ووضع المسدس على رأسي وطلب أن يخرج وإلَّا قتلني.

تذكّرت حياتي الماضية مع عليٍّ عندما كان يمسكني، وقلت لنفسي: (هل تلعب الأيام معي؟ هل ستسلّمني ثانيةً ليد عليٍّ لكي يحطمني؟ هل لو ولدتُ ألف مرّة سيكون عليٌّ هو الرجل الشرّير في قصّتي؟).

كان الكلّ يصرخ من حولي، لكنَّني لم أكن خائفة. كنت فقط منزعجة من كابوس عليٍّ الذي يلاحقني مهما هربت منه. ولكن حينها أطلق أحد الشرطيّين النار على عليٍّ، فأصابته الطلقة وفقد اتّزانه ووقع على الأرض. بعدها أخذته الشرطة وتحرَّرتُ منه للأبد.

رأيت فارساً مسرعاً نحوي، ثم أمسك بي واحتضنني بشدَّة وقال لي في لهفة: "أنت بخير صحيح؟ لم يصبك أي مكروه يا لينا! خفت أن أفقدك".

عندها أغمي عليّ بين يديه! لم أعلم لمَ فقدتُ وعيي، ربَّما كان ذلك بسبب سعادتي بانتهاء كابوس علي.

عندما استيقظت، رأيت فارساً وريم والدّكتور كمالاً بجانبي، والمهم أنهم كانوا جميعاً بخير.

عندما نظرت لشباك الغرفة وجدت الشمس مشرقة وكأنها علامة أنني تحررت من عليٍّ وأنني سأعيش حياة جيدة مع الأشخاص الذين التقيت بهم في حياتي الثانية، لا بد أنهم أشخاص أفضل، أشخاص وُلدتُّ لأجلهم، أشخاص سيساعدونني على تخطي الصعاب، وبدوري سأساعدهم. لم أشعر أنني سعيدة من قبل بقدر ما أنا سعيدة في تلك اللحظة.

بعدما تعافيت قررت أن أذهب لأطمئنَّ على زوجة عليٍّ، وكانت بخير فلقد زال الخطر عنها. لكنَّني سمعت منها بعض الكلمات التي أثّرت بي. لقد قالت لي: "لو كان ثمن تخلّصي من عليٍّ هو تلك الرّصاصة، لتمنيت أن تصيبني منذ زمن".

بعد سماع حديثها أدركت أن تخلُّصي من عليٍّ لم يكن مجرد فرحة بالنّسبة لي، بل كان انتصاراً كبيراً وثأراً لحياتي السابقة.

لقد حاولت أن أجعل حياتي أكثر استقراراً، وأعطي فرصة لأن أكون مع فارس، ولكنني لاحظت أن فارساً في هذه الفترة مشغول بالقضاء على الدكتورة فريدة، لأنَّه يعلم أنها امرأة استغلاليَّة. كما إنه كان يريد أن يقرِّب والده من والدته ولن يكون هذا إلَّا بتخلّصه من الدكتورة فريدة. أعلم أنَّ الشَّيء الذي سيحقِّق مراد فارس هو ما سمعته أنا وريم، ولكن أنا دائماً ما أكون متردّدة من إخبار فارس بهذا، رغم أنَّ علاقتي به قد تحسَّنت كثيراً عن السابق، لكن لا أستطيع أن أشوّه سمعة امرأة بهذه السهولة.

أصبح كل من في المستشفى يتهامس بعلاقتي أنا وفارس، رغم أنَّنا لم نعلن شيئاً ولم يعترف فارس حتى بحبه لي.

كنت متضايقة من همساتهم التي تصل لي بسهولة، وكأنَّ غايتهم تكمن في إسماعي، لكن لم أرد أن أخبر فارساً حتى لا أدفعه لقول أو إعلان أشياء هو لا يشعر بها. وكان كل ما في يدي أن أبتعد عنه تدريجياً، لكنَّه كان يلاحظ أفعالي حتى من قبل أن أقوم بها، وكأنَّه يعلم نيَّتي فيعمل على إزالة تلك الأفكار من عقلي ويقرّبني أكثر إليه.

مرَّت عدة أشهر وعلاقتي أنا وفارس لا تأخذ شكلاً محدداً، فلا أعلم إن كانت صداقة، أم حباً، أم لحظات جميلة نقضيها معاً. والغريب أنَّني لم أتضايق من كون أنَّ علاقتنا مفتوحة وغير مقيَّدة.

كنت متفهّمة لهذا الوضع، ولكن كنت أتساءل ما الذي ينتظره فارس ليخبرني بمشاعره؟ وكم من الوقت سيستغرق هذا؟ وهل عليَّ الانتظار أم الرحيل؟

كل تلك الأسئلة يجب أن يجيب فارس عليها، ولكن كيف أطرحها عليه؟ فأنا عندما أنظر في عينيه أكون عاجزة عن الحديث والبوح بما في داخلي. أتمنى أن يجيب فارس على أسئلتي عن قريب دون أن أطرحها عليه.

ذات يوم، جاءت للمستشفى امرأة لديها سرطان في المعدة وحالتها حرجة، ولم أستطع أن آخذ قراراً بشأن الجراحة لها، فكان لا بدَّ لي أن أستشير أحد الأطباء الكبار في المستشفى، لكنَّ فارساً كان مشغولاً والدكتور كمالاً لم يكن موجوداً، فلم يكن أمامي سوى الدكتورة فريدة. وعندما ذهبتُ لمكتبها لأستشيرها في أمر إجراء الجراحة من عدمه، وجدتُ عندها شخصاً لم أره من قبل، ثمَّ عرَّفتني عليه قائلةً: "هذا الدكتور وليد، جرَّاح أورام.. لقد انضمَّ اليوم إلينا، يمكنك أن تستشيريه بشأن العمليَّة".

وحينها، رحَّبت به وعرضتُ عليه الحالة، فأخبرني أنَّ إجراء العمليَّة سيكون أمراً صعباً ولكن علينا الإسراع قبل أن يصبح إجراؤها أمراً مستحيلاً. وبالفعل، أجرينا العمليَّة ونجحت. فرحت كثيراً لشفاء تلك المرأة لأنها كانت متمسِّكة بالحياة. فرغم صعوبة العمليَّة، إلَّا أنَّه كان لديها أمل كبير في استمرار قلبها بالنبض، واستنشاق الهواء من جديد.

منذ تلك العملية، نشأت صداقة قويَّة بيني وبين وليد وأصبحنا نثق ببعضنا في العمل وفي أمور الحياة العاديَّة، وأصبحت أشاركه كلَّ العمليَّات تقريباً.

وليد

هو جرّاح أورام عمره ثلاثة وثلاثون عاماً، ذو عيون خضراء
وشعر بني ناعم وبشرة قمحية. توجد صلة قرابة بينه وبين
الدكتورة فريدة، فهي خالته. أحبَّ مرةً واحدةً في حياته لكنَّها
ماتت قبل أن يعترف بحبّه لها. كما وتوفيت والدته قبل أن
يتخرَّج من كلية الطبّ بأيام. ووالده تزوّج بعد وفاة والدته بفترة
قصيرة وأنجب طفلاً. ورغم أنَّ أخاه هذا من امرأة غير أمه إلَّا أنه
يحبّه كثيراً، فهو شقيقه الوحيد.

****

103

استطاع الدكتور وليد منذ الأيّام الأولى أن يكوّن صداقات مع كل الأطبّاء ما عدا فارس، لأنَّ فارساً لا يحبّه بسبب أنَّه قريب الدكتورة فريدة. ولكنه لم يكن يشبه الدكتورة فريدة في أي شيء،، فهو كان لطيفاً في التعامل مع كل زملائه ويحب مساعدتهم على إنجاز أعمالهم.

وليد كان يحب ويحترم الدكتورة فريدة ولا يراها بهذا السوء الذي نصفها به وهذا ليس نابعاً من صلة القرابة التي تجمعهما، إنما لأنها لطيفه معه على عكس معاملتها مع الآخرين.

كنت أنا والدكتور وليد نعمل معاً كثيراً حتى أصبحنا أصدقاء نثق ببعضنا البعض، ليس في العمل فقط، بل في أمور الحياة الأخرى.

كنّا نذهب لتناول الغداء بعد انتهاء العمليات الطويلة، ولكن لم أكن أعلم أنَّ فارساً متضايق من تقرّب وليد مني، كانت العلاقة بيني وبين وليد علاقة صداقة فقط.

فلم ألاحظ أبداً أن وليداً يتخطى حاجز الصداقة، فهو يعلم جيداً أنني معجبة بفارس، ولطالما كان يخبرني بأنه يتمنى أن تتحسن الأمور بينه وبين فارس فهو لا يحب أن يكون لديه عداوات مع زملائه في العمل.

كانت تعجبني غيرة فارس عليَّ، فهو لم يستطع إخفاءها في أدقّ التفاصيل. وذات يوم، سمع فارس وليداً وهو يدعوني للعشاء، وقبل أن أبدي رأيي، جاء فارس ودعاني أيضاً للعشاء ونظر الاثنان لبعضهما وكأنّه تحدٍّ بينهما وكأنَّ موافقتي لأحدٍ منهما تعني ربح التحدي. لكنَّني أفسدت تلك المعركة بردّي حيث قلت لهما: "ما رأيكما أن نذهب جميعاً لتناول العشاء؟ وريم ستأتي أيضاً".

فنظرا إلي كلاهما نظراتٍ فيها خيبة أمل، ولكن وافقا وذهبنا جميعاً لتناول العشاء. كان العشاء جميلاً وممتعاً بحديث ريم المتواصل والذي جعلنا جميعاً نتفاعل ونتحدّث. ولأوّل مرَّة يلاحظ فيها وليد شخصية ريم المرحة والنقيَّة.

بعد هذا العشاء، لاحظت تقرّب وليد وريم من بعضهما البعض، ربَّما من قبل أن يلاحظا هما ذلك حتى؛ فكانا يكثران الحديث عن بعضهما أمامي. ولكن فارساً لم يكن يعرف هذا، فما علق في مخيّلته هو أنَّ وليداً معجب بي ويحاول التّقرب مني.

في البداية حاولت تجاهل ظنَّ فارس بأن هناك علاقة حب تجمعني بوليد، ولكن زاد الأمر عن حده ففارس أصبح يتجنبني أحياناً وفي أحيان أخرة يغضب علي دون أن يبرر أفعاله تلك.

شعرت أن سكوتي عن توضيح الأمور لفارس ربما يجعله يتركني لذلك قرَّرت أن أوضح له الأمر فلقد وصل فارس لمرحلة لا تطاق من الغيرة، حتى إنَّه ظنَّ أنني أحبّ وليداً ومستمتعة بتقرّبه منّي! لكنَّه لا يعلم أنَّ معظم الوقت الذي أقضيه مع وليد يكون في العمل والوقت الآخر راحة من العمل، وأنَّ معظم الأمور التي نتحدّث فيها تكون أموراً عادية منقسمة بين العمل ومعرفة بعض الأمور عن المستشفى. أنا كنت لوليد مثلما كانت ريم لي.

بعد انتهائي من العمل، قرَّرت أن أذهب لمكتب فارس وأطلب منه أن نخرج معاً لأوضح له بعض الأمور، ولكنّه فاجأني قائلاً: "أليس لديكِ موعدٌ مع وليد؟ ألن تخرجا اليوم كالعادة؟"

لينا: "لا، أفضّل الخروج معك يا فارس".

وحينها ابتسم لي واقترب مني قائلاً: "هل حقّاً تفضّلين الخروج معي يا لينا؟"

فابتسمت له لأنَّني كنت مندهشة من تغيّر تعابير وجهه وحنيَّته المفاجئة وقلت: "نعم، أفضّل الخروج معك".

فارس: "حسناً، سأنهي بعض الأمور ونخرج معاً".

لينا: "حسناً، سأنتظرك في الخارج".

كان فارس قد أنهى عمله، وأنا كنت أنتظره في الخارج، ولكن عندما تأخَّر قرَّرت أن أذهب وأعلم سبب تأخّره، فوجدته يستقبل فتاةً ويسلّم عليها بحفاوة. كنت متضايقة للغاية لأنَّه يعلم أنَّني أنتظره بالخارج ومع ذلك يقف مع هذه الفتاة.

وبعد فترة وجيزة، وجدت الهاتف يرنّ وإذا به فارس يخبرني أنَّه مشغول ولا يستطيع الخروج معي اليوم، ولكنّني أسرعت قائلةً: "حسناً، سأخرج مع وليد، فهو دعاني للخروج ولكنني أخبرته أنّني سأخرج معك".

فارس: "حقاً؟ إذاً استمتعا".

لقد كنت متضايقة لذلك حاولت أن أستفزّه، ولا أعلم حتى إن كنت نجحت في هذا أم لا. قرَّرت أن أذهب للمنزل، وعند وصولي رأتني أمي أتكلم مع نفسي فقالت: "ماذا بكِ يا لينا؟"

لينا: "لا شيء، أنا فقط اكتشفت أنَّني غبيَّة للمرَّة الثانية".

نظرت لي أمي بحنان قائلة: "أنت يا لينا لا تتصرّفين بغباء إلَّا إذا أحببتِ".

ففوجئت بمعرفة أمّي، وتساءلت عن كيفية معرفتها السبب الذي يضايقني؟ فأنا لم أخبرها أبداً عن فارس ولا عن كوني أحب أحداً.

اكتشفت فيما بعد أن أمي تلاحظ أيَّ تغيُّرٍ عليَّ، بل وتستنتج سببه، ولطالما كانت استنتاجاتها صحيحة؛ فهي من علمتني كل شيء وتعرف شخصيتي جيداً حتي ولو لم أحكِ لها، ولكنها لم تُرِد أن تتحدث معي في الأمر إلا عندما آتي وأخبرها بنفسي عنه.

قرَّرت أن أخبر أمي عن كل شيء، عن حبي لفارس وعن كل لحظاتي معه. والغريب أني وجدتها مهتمَّة وتستمع لما أقول. كان يوماً لا يُنسى. وتساءلت: (لمَ لمْ أخبر أمي من قبل عمّا يدور في حياتي؟)، إنَّه أمرٌ مفرحٌ عندما تجد شخصاً تخبره بمشاعرك من دون أن تخجل وتجده ينصحك بصدق ويحافظ على أسرارك.

في صباح اليوم التّالي، ذهبت للمستشفى كالعادة وقرَّرت أن أعلم مَنْ تلك الفتاة التي قام فارس بإلغاء موعدنا من أجلها. ذهبت لريم لأسألها، وفيما أنا في أحد ممرَّات المستشفى رأيت فارساً على بُعدٍ وكان يقترب مني، فنظرت له بغضب لكنَّه تجاهلني ثم تجاوزني وسلَّم على الفتاة التي كان يرحب بها أمس إذ كانت خلفي مباشرةً. حينها قرَّرت أن أذهب ولكن أوقفني فارس قائلاً: "لينا، لم أعرّفكِ بطبيبتنا الجديدة، هذه سارة أخت مريم".

لينا: "ماذا!" حينها نظرت لسارة وقلت: "أنت أخت مريم حقّاً؟"

سارة: "نعم".

لينا: "هل تعافيتِ؟!"

حينها نظر إليَّ فارس وكأنَّه يلومني على سؤالي، فأجابت سارة قائلة: "نعم أنا بخير.. أشكرك على سؤالك".

حينها قال فارس لسارة: "هذه الدكتورة لينا يا سارة، وهي ستكون معلّمتك أثناء فترة تدريبك".

لينا: "ماذا!"

فارس: "سارة ستتخصّص في الجراحة العامة".

حينها نظرت لسارة وقلت: "ولماذا الجراحة العامّة؟"

سارة: "أريد أن أتخصَّص في نفس تخصّص أختي".

شعرت بأنَّني أخطأت في السّؤال فكان عليَّ أن أفهم ذلك وحدي. حينها ابتسمت لسارة قائلة: "يسعدني أن أشرف على تدريبك يا سارة".

كان خبر بقاء سارة أخت مريم في المستشفى ليس مفرحاً بالنسبة لي، ربّما لأنَّني خائفة من أن ينجذب فارس إليها.

سارة

هي طبيبة حسناء، ولطيفة في التعامل مع الآخرين، أخت
مريم، درست في بريطانيا وجاءت للعمل في المستشفى التي كانت
تعمل بها أختها بعد تعافيها من فيروس كورونا، مجتهدة وجادة في
عملها وقررت أن تتخصص في الجراحة العامة نفس تخصص
أختها إكمالاً لمشوارها المهني.

****

حاولت أن أنزع فكرة أن يعجب فارس بسارة من رأسي فهي أخت حبيبته، وبالتأكيد فارس يعتبرها كأخت له لا أكثر.

قبل رحيلي، طلب فارس مني أن آتي لمكتبه لنتحدّث، فوافقت وذهبت لأرى فيما سيتحدّث معي. وبمجرد دخولي المكتب، نظر إليَّ فارس بلؤم قائلاً: "أَخَرَجْتِ أنت ووليد بالأمس؟"

فقلت له مسرعة: "نعم، لم أستطع أن أرفض عرضه فالخروج مع وليد ممتع للغاية".

فارس: "وهل كنتما بمفردكما؟"

لينا: "نعم، بالطّبع! ومن سيكون معنا؟"

فضحك ثمّ قال: "ولكن لمَ يا ترى بعدما ذهبتِ كان وليد يبحث عن ريم، وأعتقد أنَّني رأيتهما يخرجان معاً؟"

وحينها وقفت عاجزة عن الكلام لا أدري ماذا أقول.

بدأ فارس يقترب مني وأنا أبتعد حتى حاصرني ثم نظر لي بعينيه وأمسك بيدي ثم قال: "تبدين جميلة عندما تقفين أمامي وتحاولين إخفاء مشاعرك عنّي يا لينا، أعلم أنكِ كنت تنتظرينني وأعلم أنَّني عندما ألغيتُ الموعد ذهبتِ إلى المنزل وربما كنت متضايقة مني".

حاولت أن أنكر كلامه ولكن يبدو أنه يعلم كيف أفكر لذلك كان من الصعب علي المراوغة.

أكمل فارس حديثه معي قائلاً: "حقّاً كنت أريد أن أخرج معكِ أكثر ممَّا كنت تريدين ولكن عندما اتَّصلت سارة وقالت إنَّها أمام المستشفى لم أستطع أن أخبرها بأنَّني مشغول؛ فهذه أول مرة تأتي فيها إلى المستشفى، هل ستسامحينني إن اعتذرت وعوّضتك عن إلغائي الموعد؟"

لينا: "وكيف ستعوّضني؟"

فارس: "ما رأيك أن نخرج اليوم فأنا أعددت لكِ مفاجأة."

كنت في غاية السعادة لأنني شعرت أن فارساً يحاول التودُّد لي وإرضائي وهذا لا يعني سوى أنه يهتم لأمري.

بعد برهة من التفكير تذكرت أن اليوم عيد ميلاد ريم، وكنت قد خطَّطت أنا ووليد أن نقيم حفلة للإحتفال بهذه المناسبة فقلت لفارس: "أنا مشغولة اليوم، فلنخرج في يوم آخر".

لاحظت على فارس الانزعاج لأنني لم أبرر له سبب رفضي لدعوته ولكنه أيضاً لم يطلب مني التبرير وظن أنني لم أسامحه على اعتذاره عن الخروج معي في المرة السابقة.

عندما حاولت أن أوضح لفارس سبب رفضي لدعوته ردَّ علي بعدم اهتمام قائلاً: "حسناً، كما تريدين يا لينا".

حينها ذهبت؛ فقد تلقى فارس اتصالاً، وأنا لم أُرِدِ التأخر على تجهيزات الحفلة.

خرجت أنا ووليد لنقوم بتجهيزات الحفلة، لكنَّ فارساً رآني أخرج مع وليد وكان في قمّة الغضب والانزعاج واعتقد أنني أفضّل وليداً عليه. وبالطبع أكّد له هذا المشهد فكرة أنَّني ووليداً نحب بعضنا.

بعد الانتهاء من تجهيزات الحفلة، اشترى وليد فستاناً لريم وطلب مني أن أعطيها إيَّاه على أنَّني من اشتريته لها بمناسبة عيد ميلادها حتى لا تخجل من ارتدائه.

وبالفعل، فقد أعطيت الفستان لريم واتّفقت معها أن نلتقي على العشاء لأنَّني أريد الاحتفال معها بعيد مولدها، وحينها ذهبت للمنزل وارتديتُ أنا أيضاً فستاناً جميلاً.

التقيت أنا وريم خارج المكان الذي سنحتفل فيه بعيد مولدها، ووضعتُ شريطاً على عينيها حتي تندهش عندما ترى تجهيزات عيد مولدها التي كانت أكثر من رائعة.

عندما أزلت الشريط اندهشت ريم من المفاجأة فهي ظنَّت أنَّني أعددت لها قالب حلوى صغيرًا وسأعطيها هديّة وينتهي الأمر. لم تتوقّع أنَّ وليداً موجود وأنَّ المكان بأكمله مجهّز بهذه الطّريقة.

بعد إطفاء الشّموع وتمنّي ريم أمنية، كانت سعيدة للغاية ثم شكرتني على هدية الفستان ولكنني أخبرتها أن الفستان الذي

ترتديه وليد هو من اشتراه، كانت ريم محرجة جدّاً بعدما علمت أنَّ الفستان اشتراه وليد لكنها كانت أيضاً سعيدة باهتمامه بها.

أخرجتُ من حقيبتي هدية ريم التي جلبتها لها، ثم أخبرتها أن هديتي لم ترها بعد، ولكن قبل أن تفتح ريم الهدية، رنَّ هاتفي وإذا به فارس يخبرني بأنَّ هناك فتاة في حالة حرجة وعليَّ أن أذهب. فقلت له: "حسناً، سآتي على الفور".

وحتى لا أفسد عيد ميلاد ريم والمفاجأة التي حضَّرها وليد لها، أخبرتُ ريم بأنَّني سأتركها هي ووليد على انفراد حتى يستمتعا.

غادرت مسرعة إلى المستشفى حتى إنَّني لم أذهب للمنزل لأغيّر ملابسي لأنَّني خفت أن أفقد الفتاة ويتّهمني فارس بالتّقصير مثلما حدث من قبل.

عندما ذهبتُ للمستشفى، رآني فارس بملابس الحفلة فظنَّ أنَّي كنت أقضي وقتاً ممتعاً مع وليد، لكنَّه حاول أن يخفي انزعاجه وعندما سألته عن الفتاة أخبرني أنَّه تولَّى الأمر وليس هناك داعٍ للخوف. ثمَّ نظر إلي بغضب وقال: "أظنُّ أنّك كنت تستمتعين بوقتك؟"

فقلت له بحسن نيّة: "نعم، اليوم كان رائعاً حتى اتَّصلت أنت".

فارس: "ماذا تقصدين؟ هل تعنين بأنني أفسدتُ يومك؟"

لينا: "لا أقصد هذا، أنا فقط لا أفهم لمَ استدعيتني إن كنت قد سيطرت على الأمر؟ لقد كنتُ خائفة بشدَّة!"

فارس: "أنا آسف على إفساد وقتك، يمكنك الذّهاب".

ثم رحل وكان يبدو عليه الانزعاج، فهل استدعاني فارس لأنه لم يطق فكرة أنَّني أمضي الوقت مع غيره، أم إن الفتاة كانت في حالة حرجة؟

ليت فارساً يطلب مني التبرير لأفعالي حتي أخبره أنني لا أقصد أن أزعجه وأنه لا يوجد في قلبي حب وإعجاب لغيره، ولكنه متسرعِ في الحكم عليَّ دائماً.

مرَّت عدة أيام وأنا وفارس لا نتحدَّث بينما هو وسارة أصبحا مقرَّبين من بعضهما. وكنت أرى أن سارة ستصبح يوماً ما في مكانة أختها مريم لدى فارس ولن يصبح لي حينها مكان في قلبه.

كنت في مكتبي عندما دخلت عليَّ ريم وكان يبدو عليها الغضب والانزعاج فقلت لها: "ماذا بكِ يا ريم؟"

ريم: "هل ستكون معاناتي مع سارة يا لينا مثل معاناتك مع مريم؟"

لينا: "ماذا تعنين؟"

ريم: "سمعت فارساً وهو يقول لوليد أنَّ سارة تحبّه".

لينا: "ماذا! هل حقّاً سارة تحب وليداً!"

ريم: "نعم، وفارس يقرّبهما من بعضهما البعض".

كانت هذه مفاجأة بالنّسبة لي، فهذا يعني أنَّ فارساً لا يحبُّ سارة كما كنت أظن، لكنَّني سألت ريم عن ردّة فعل وليد عندما علم بحب سارة له، فأخبرتني أنَّهما ذهبا ولم تستطع معرفة أي شيء.

كنت أتساءل لماذا فارس يتولَّى أمر علاقة سارة ووليد، ففارس لا يحبُّ وليداً لهذه الدرجة، لمَ يريد أن يبعد وليد عن ريم؟ إلَّا إذا كان لا يعلم أنَّ وليداً يحب ريم من الأساس وهذا ما أكَّدته لي ريم.

حينها فكَّرتُ هل يعقل أنَّ فارساً ما زال يعتقد أنَّني ووليد نحب بعضنا البعض لذلك يحاول أن يقرِّب سارة من وليد اعتقاداً منه أنَّه بذلك يبعد وليداً عنّي؟ لكن إن كان هذا صحيحاً فهذا يعني أنَّ فارساً ما زال يحبّني.

عندما فكَّرت في كلّ تلك الأمور، قرَّرت أن أذهب لمكتب فارس وأشرح له حقيقة علاقتي بوليد، إلَّا أنَّني وجدته أمام مكتبي فنظرنا لبعضنا البعض وفجأةً أمسك بيدي وأخذني لمكان بالقرب من المستشفى. وعندما كنت أحاول أن أشرح له حقيقة الأمر فجأة جذبني إليه ثم احتضنني وقال: "لينا، لقد

فهمت كلّ شيء، لا داعي لأن تبرّري لي فالأمور أصبحت واضحة الآن".

لقد علم فارس بحب وليد لريم وبأنه ليس هناك علاقة حب تجمعني بوليد. وقد علم سبب ارتدائي فستان سهرة وفهم كل تلك الأمور من وليد الذي أخبره أنه لا يستطيع أن يحب سارة فهو مخلص في حبه لريم. كما أخبرني فارس أنه لا يفهم سبب كرهه لوليد وبأنهما قررا أن يصبحا صديقين.

لكن عندما أخبرني فارس أنه فهم كل شيء، كان أكثر ما يعنيه أنه فهم كم يحبني. لذلك نظر لي وقال: "أنا أحبّك يا لينا، ولكن تلك الجملة صغيرة جداً لتعبّر عمّا في قلبي من معانٍ لكِ".

كان الأمر أشبه بالحلم الجميل الذي لم أرد أن أستيقظ منه أبداً.

كنت أريد أن أخبر فارساً أنّني أبادله نفس تلك المشاعر، ولكن في ذلك الوقت اتصلت ريم بي وأخبرتني أن السيد عامر غليل يتشاجر مع الدكتور كمال والدكتورة فريدة، حينها أخبرت فارساً بما أخبرتني به ريم وذهبنا مسرعين لنعلم سبب هذا الشجار وما الذي يغضب السّيد عامر غليل لهذه الدرجة.

لقد أراد السيد عامر غليل أن يمرَّ على المستشفى ليطمئنّ على أحوالها ويعلم كيف تسير الأمور فيها، فذهب أولاً لمكتب

الدكتورة فريدة فلم يجدها، وعندما سأل عنها أخبرته إحدى الممرّضات أنها في مكتب الدّكتور كمال، وعندما ذهب إلى الدكتور كمال رآه يحاول أن يخرج الدكتورة فريدة من مكتبه، واستمع للكلام الذي كان يدور بينهما والذي لم يختلف كثيراً عن الكلام الذي سمعته أنا وريم. كان أكثر ما يؤلم السّيد عامر غليل أنَّ الخيانة من طرف زوجته لأنَّه سمع ردود الدّكتور كمال الرافضة لأي علاقة بينه وبين الدكتورة فريدة.

عندما كان السيد عامر غليل يواجه الدكتورة فريدة بخيانتها له، كانت صامتةً في أوّل الأمر وكان يبدو عليها النّدم، لكن بمجرد حضور جميع الأطبّاء والموظفين بدأت الدكتورة فريدة تردُّ على إهاناته قائلةً: "ألم تخنّي أنت أيضاً؟ ألا تريد أن تعود لزوجتك القديمة وكنت تذهب إليها كثيراً وتظنّ أنَّني لا أعلم، لمَ تزوّجتني إن كنت لا زلت تحبّها؟"

بعدما سمع فارس مبررات الدكتورة فريدة، غضب منها وصرخ عليها قائلاً: "اصمتي، أتشبّهين ما تفعلينه الآن بعلاقة أبي بأمّي!".

حينها اقتربت منه وقلت: "اهدأ يا فارس فالجميع هنا، ما رأيك أن تناقشوا هذه الأمور في مكان آخر".

وحينها نظر فارس حوله فوجد الجميع ينظرون إليهم، فطلب من الكلّ أن يعودوا لأعمالهم وأخذ أباه وطلب من الدكتورة فريدة أن تلحق بهما.

بعد كل هذا الصّراع والغضب، كنت أريد أن أذهب للمنزل وأستريح، فاليوم كان مليئاً بالكثير من الرومانسية والأكشن.

وفي اليوم التّالي، كان الجميع يتحدّثون عن الشّجار الذي حدث بالأمس لكنَّني كنت مهتمَّة بنتائج الشّجار أكثر من الشّجار نفسه.. فما الذي حدث؟ وكيف جرت الأمور؟ أتمنَّى أن يكون فارس مستريحاً الآن وأن تبتعد الدكتورة فريدة عن عائلته.

كنت أجري عمليّة استئصال ورم مع وليد وكانت حقاً صعبة، وبعد الانتهاء منها جلست أنا ووليد نحتسي كوبين من القهوة، وبدأ هو بالحديث قائلاً: "لقد قرّرت أن أعرض الزّواج على ريم".

فابتسمت له وقلت: "هل نال الحبّ منكما؟"

فضحك ثم قال: "أعتقد ذلك".

أعترف أنَّ الأمر كان مفاجئاً بالنّسبة لي لأنَّ قرار ارتباطهما كان سريعاً، لكنَّني كنت أراهما سعيدين ومتوافقين فلمَ لا.

عندما ذهب وليد على أمل أن يفاتح ريم في أمر الزواج، بدأتُ أفكّر في فارس وأتساءل ماذا حدث وكيف جرت الأمور؟ وفجأة

وجدتُ فارساً أمامي وكان معه كوبان من القهوة لكنَّه وجد معي كوب قهوة، فأوقف إحدى الممرّضات المارات وأعطاها كوب القهوة الذي أحضره لي ثم نظر إليَّ قائلاً: "لا أحبُ أن تشربي الكثير من القهوة".

حينها ابتسمت له وأخبرته: "أعدك بأنني لن أحتسي القهوة مجدداً مع أحد غيرك فأنا لا أقبل أن يأخذ أحد شيئاً قد جلبته لأجلي".

فارس: "هل يمكنني الجلوس؟"

لينا: "نعم تفضّل".

جلسنا فترة دون أن نتحدث ولكن فارساً قطع هذا الصمت قائلاً: "أتعلمين يا لينا، عندما تصمتين أعلم أنكِ تتحدّثين كثيراً من الداخل".

لينا: "أنت تعلم أنَّني أريد أن أعرف ماذا حدث بعدما غادرتم".

فارس: "حدثت كثير من الأمور التي كانت مريحة بالنّسبة لي".

لينا: "مثل ماذا؟"

فارس: "أبي لم يستطع أن يكمل مع فريدة، لقد طلَّقها أمس. ولكن عندما أحبَّت أن تعاقبه أخرجتنا من المنزل وكانت الصّدمة

عندما اكتشفت أنَّ أبي قد أهدى لها المنزل في أحد أعياد ميلادها".

لاحظت على فارس حينها أنَّه يستهزئ من وثوق أبيه بالدكتورة فريدة.. لقد حاولت أن أبرّر لفارس سبب وثوق أبيه بالدكتورة فريدة فقلت له: "ربما أحبّ والدك تلك المرأة، لذلك وثق بها وأهداها المنزل".

حينها غضب فارس وقال: "لم يثق أبي بها، بل خدعته كأيّ امرأة تغوي رجلاً".

صمتُّ حينها لأنَّني لم أرد أن أُغضِبَ فارساً أكثر، وفارس احترم صمتي فقال: "اعذريني يا لينا، أعلم أنَّني أتحدَّث بطريقة سيّئة عن امرأة وهذا ليس من طبعي، ولكن حقاً هناك بعض الأشخاص يصعب عليكِ أن تعامليهم بالطريقة التي تربَّيت عليها.

لينا: "لا بأس يا فارس، المهم أنَّها خرجت من حياتكم وأتمنى ألَّا تعود".

فارس: "أتمنّى هذا أيضاً".

لقد كان علي أن أذهب لأطمئن على المريضة التي خضعت لعملية استئصال الورم، فاستأذنت من فارس ولكنه أخبرني أنه ينتظرني بعد أن أنهي عملي.

وفي طريقي لغرفة المريضة، رأيت وليداً يتحدّث مع ريم وطلب منها أن يخرجا معاً فهو يريد أن يخبرها بشيء مهم، ولكنَّني حينها رأيت سارة تستمع لحديثهما ويبدو أنها فهمت الأمر الذي يريد وليد أن يبوح به لريم والذي كان يظهر من طريقة نظراتهما لبعضهما البعض، فرأيتها تبكي ثم تركتهما وذهبت لمكتبها.

بعدما اطمأننت على المريضة جاءني شعور يوجب عليَّ أن أذهب لسارة فلا بد أنها تتألّم بسبب عدم اهتمام وليد بمشاعرها.

وبالفعل وجدت سارة تبكي وعندما رأتني حاولت أن تخفي دموعها.. أعلم أنني لست الشّخص الذي يستطيع أن يواسي سارة لأنّني أخذت مكان أختها ويبدو أنها لا تتقبَّل هذا فهي ما زالت تتذكَّر فرحة أختها والعرس الذي كانت تخطّط له.

بدأت بالحديث مع سارة قائلةً: "سارة، هل لي بأن أخبركِ بشيء؟"

سارة: "ألا يمكن أن نتكلم لاحقاً فأنا متعبة".

لينا: "الأمر الذي سأتحدّث فيه كان مُتْعِباً أيضاً بالنسبة لي".

سارة: "كيف!"

لينا: "كان الأمر يتعلّق بشخص أحبه جداً".

سارة: ولماذا تخبرينني بهذا؟"

لينا: "ربما لأنَّني أرى أنك الشّخص الوحيد الذي سيفهمني".

سارة: "حسناً، أخبريني.. ماذا حدث للشخص الذي تحبّينه؟"

لينا: "كان يحبّ فتاة أخرى بجنون ولم أستطع أن أجعله يحبّني ولو قليلاً".

سارة: "وهل كنت تتعذّبين؟"

لينا: "كنت مجروحة لأنَّ ما أريده لن يحدث أبداً".

سارة: "هل كرهتِ الفتاة التي يحبها حبيبك؟"

لينا: "لا لم أفعل، لأنَّ الأمر ليس متعلّقاً بها بل كان متعلقاً باختياره، وهل تعلمين؟ بعد مرور القليل من الوقت تقبّلت اختياره لأنَّني عندما أحبّ شخصاً أحترمه، وجزءٌ من احترامي له هو احترام اختياراته".

لاحظْتُ حينها أنَّ سارة تحاول فهم كلامي وتطبيقه، لكنها فاجأتني بسؤال قائلة: "وهل استطعت أن تنسيه؟"

لينا: "لا أبداً، ولكني قلت لنفسي إن لم أصبح اختياره فسأغيّر اختياري".

وحينها تركت سارة تفكّر وتستجمع قواها، وكنت متأكّدة من أنّها لن تتوقّف عند اختيارها.

أعتقد أنني بعدما عشت حياتين أصبحت فيلسوفة أكثر من اللازم، فأنا لا أعلم كيف استطعت إقناع سارة بحديثي رغم أنني لم أرتِّب ما سأقوله لها، ولكن ربما حكيت لها عن مشاعري بصدق وقت شعرت بما تشعر به الآن.

بعد الانتهاء من العمل، ذهبتُ للمنزل وحاولت اختيار فستان مناسب لأقابل فارساً. كان الأمر أشبه بفتاة تنتظر جائزتها حيث كنت متشوّقة لسماع ما سيقوله فارس لي. في نفس الوقت، كنت أعلم أنَّ وليداً يعترف بحبّه الآن لريم ويعرض عليها الزّواج، فهل سيفعل فارس هذا معي أيضاً؟

ذهبت للمكان الذي أخبرني فارس بأنّنا سنلتقي فيه، لم أصدق ما رأيته ففارس قد جعل أجواء المكان رومانسية فكانت هناك موسيقى هادئة وشموع مضيئة وورد أحمر، لم أتوقع أن يعدَّ فارس كل هذا لي وعندما كنت أتأمل جمال المكان وروعته رأيت فارساً يقترب مني ثم قال: "هل أعجبكِ المكان".

لينا: "نعم.. إنه جميل!".

فارس: "أنتِ أيضاً جميلة كعادتك يا لينا".

كنت سعيدة وخجلة من ثنائه اللطيف وروعة حديثه معي.

فارس: "أعتقد أننا لم نكمل حديثنا في المرة السّابقة ولكن لا أتذكّر أين توقّفت ألا تتذكّرين؟"

بعفوية قلت: "توقّفت عندما أخبرتني أنَّك..."

ولكنَّني لم أكمل فقد كان يريد أن يوقع بي وأنا كنت سأقع بالفعل.

أكمل فارس ما رفضتُ أن أكمله قائلاً: "نعم يا لينا، توقّفت عندما أخبرتك أنني أحبّك..."

حينها حاولت التّنفس فلقد حبست أنفاسي لمدّة بعدما سمعته يقولها للمرّة الثانية، كانت هذه أجمل جملة أسمعها. لن أكذب إن قلت إنَّني أريد أن أسمعها طوال الوقت ولكنه أكمل كلامه قائلاً: "لكن يا لينا هذا ما توقّفنا عنده وكان عليكِ أن تجيبي، فأنا لا أريد أن أسمعها وأنت تقولينها لريم، أريد أن أسمعها وأنت تقولينها لي".

لا أعلم لمَ فجأةً تضايقت عندما تذكّرتُ أنّه سمعني وقتما أخبرت ريم بحبّي له. وفجأة أخبرت فارساً أنَّني تأخّرت وعليَّ الذهاب، فأمّي تنتظرني، لكنَّه أسرع وأمسك بيدي قائلاً: "هل أخطأت في شيء يا لينا؟"

لينا: "لا، ولكن أعتقد أنَّني متعبة فلنتحدث لاحقاً".

غادرت وكنت منزعجة وعادة لي فكرة أنَّه لربَّما لا يحبّني وفقط يستغلّ حبي له. أثناء طريق العودة للمنزل كنت متوترة للغاية فلا أدري لمَ تركت فارساً بهذا الشكل، ولكن أكان عليه أن يفتح هذا الأمر أمامي؟

في اليوم التالي، ذهبت لمكتبي لأستريح بعد وقت طويل من العمل المتواصل. وبدأت أفكّر في الكثير من الأمور أوَّلها أنني خائفة من أن يكون حبّ فارس لي حباً ضعيفاً وليس كحبي له الذي يزداد بمرور الأيام. وكنت أفكر أيضاً في ريم عندما أخبرتني أنها وافقت على الزواج من وليد، حيث كنت أرى أن ريم لا تضع قيوداً أو شروطاً أو تعقيدات على قلبها، لذلك تحبّ وليداً كثيراً وسيتزوجان عما قريب فكنت أفكر لمَ لا أفعل مثلها وأوافق على فارس دون النّظر لأمور أخرى؟ لكن كنت أعلم أنني لن أتحمّل أن أصبح تعيسة ثانيةً مثلما كنت في حياتي السآبقة. لكن بالنظر لفارس فهو ليس كعليٍّ ولن يصبح مثله أبداً.

وأثناء تفكيري في كل تلك الأمور، دخل فارس إلى مكتبي وطلب أن نتحدث وعندما اعتذرت له بحجة أنني متعبة أمسك يدي وأخذني لمكان خارج المستشفى وعندما طلبت منه أن يتركني صرخ في وجهي قائلاً: "لماذا لا تصدّقينني يا لينا؟" ثم حاول أن

يخفض من صوته قائلاً: "أنا أحبّك حقاً يا لينا، ويهمّني حقاً أن أعلم كيف تفكّرين بي".

حينها صمتُّ وحاولت أن أرحل لكنه فاجأني بقوله: "هل أنا شخص سيئ بالنسبة لكِ لهذه الدرجة لكي تظني أنَّني أتلاعب بكِ وبمشاعركِ؟ أم إنكِ لم تعودي تثقين بالحياة حتى اعتقدت أنّها من المستحيل أن تمنحكِ ما تريدين؟"

كان الأمر في غاية الألم عندما أخبرني فارس بما أفكر به. كيف يعلم أنني لا أثق بمشاعره وكيف يعلم أنني لا أثق بالحياة؟ هل من الممكن أن يكون فارس هو فرصتي الثانية التي تحاول أن تنبّهني قبل أن أفقدها؟ أم إنه اختيار خاطئ سأقع فيه وأندم عليه وأخسر حياتي الأخيرة؟

فارس هو اختيار صعب، عليَّ أن أفكّر فيه جيداً قبل اختياره. بعد ما قاله فارس لي، قررت أن أعطي علاقتنا فرصة حقيقيّة، فأنا ضعيفة أمامه، ولكن قبل أن أخبره بمشاعري تجاهه اتّصلت أمي وكانت متعبة للغاية، فذهبت مسرعة أنا وفارس للاطمئنان عليها. وأنا في الطّريق إليها تذكّرت أنّ أمي في نفس هذا الوقت من حياتي السّابقة مرضت أيضاً وفقدتها حينها. لذلك عندما رأيتها مريضة لم أتحمّل وبدأت بالبكاء بطريقة هستيريَّة.

حاول فارس أن يهدِّئني ولكنّي لم أستطع التّوقف عن البكاء، أخذنا أمي للمستشفى حيث كانت درجة حرارتها عالية وكانت شاحبة اللّون. كان على أمي أن تظلَّ في المستشفى لبضعة أيّام حتى تنخفض حرارتها وتعود لها عافيتها.

مرّت عدة أيام وأمي لم تتحسّن، وأنا كنت متوتّرة وخائفة من أن أفقدها.. لن أستطيع أن أصف حالتي حينها.. لقد كنتُ أخبر أمي بكلّ الأشياء التي في قلبي من ناحيتها، وكأنني متأكّدة من فقدانها.

نظرت لي أمّي وهي متعبة جداً وقالت لي جملة شعرتُ أنها لن تنجو إلا إذا آمنتُ بشفائها، فقد قالت لي: "أنا لا أرى موتي سوى في عينيكِ يا لينا".

لا أعلم ما الذي كانت تعنيه، ولكن حقّاً ذكرى وفاتها كانت لا تفارق خيالي، لم يفهم فارس لما أنا متوترة وخائفة بهذا الشكل، فوضع أمي ليس سيئاً لهذه الدرجة؛ فهي تحتاج فقط للعناية وظل يسألني أسئلة عن حالة أمي الصحية وعن سبب خوفي الزائد، ولكنني كنت عاجزة حينها عن الرد، وكل ما كان يشغل بالي هل يمكن أن أفقد أمي كما حدث من قبل أم إن فرصتي الثانية ستبقيها معي؟.

فارس كان له دور كبير في شفاء أمي بعد شفاء الله، فأنا لا أبالغ إن قلت إنّه كان خائفاً على أمي وكأنّها أمّه، وكان دائماً بجانبي يساندني.

بعد مرور عدّة أيام، بدأت أمي بالتّحسن حتى استعادت عافيتها وكنت سعيدة لنجاة أمّي. وقبل أن آخذ أمي للمنزل، ذهبتُ لأدفع تكاليف المستشفى، كان المبلغ كبيراً، ولكن ليس عليَّ بل على لينا السّابقة التي فقدت أمّها من قبل بسبب قلّة المال.

لا أعرف كيف أصف هذا الشّعور، ولكن عندما فتحت حقيبتي ووجدتُ فيها مبلغاً أكبر بكثير من تكاليف المستشفى حمدتُ ربي وقدّرت حياتي الحاليّة.

عندما أخرجتُ المبلغ لأدفع تكاليف المستشفى، أخبرتني الموظّفة أن المبلغ قد دُفع الآن للمستشفى، فقلت لها: "كيف؟" فأخبرتني بأن الدكتور فارساً قد حوّل المبلغ للمستشفى. لم أتعجّب من تصرّف فارس فهو في نهاية الأمر ليس كعليٍّ ولن يصبح.

بعد تعافي أمي تماماً، كنت في غاية السّعادة لأنها ستكون معي وسأراها كلّما احتجتُ لذلك.

أمي كانت نعمة كبيرة من الله، فرؤيتها فقط كانت تجعلني سعيدة ومطمئنة، ولعلَّ خوفي الزائد عليها جعلها تدرك قدرها ومكانتها الغالية عندي.

فاجأتني ريم بخبر سعيد أيضاً بعد خبر تعافي أمي؛ فلقد تم تحديد موعد زفافها بوليد حيث كانت في غاية السعادة وأنا أيضاً كنت سعيدة لأجلها كثيراً، وكنت متشوّقة لرؤية ريم في الفستان الأبيض.

بدأت ريم في دعوة أصدقائنا الأطباء في المستشفى للعرس إلَّا سارة، وعندما سألتها عن السّبب قالت: "أنا لا أكرهها يا لينا، ولكن لا أريد أن يزداد ألمها بسببي".

ولكنّي كنت أرى أنَّ سارة عليها أن تحضر العرس حتى لا تظنّ أن ريم لا تريد دعوتها وينشأ عداء بينهما.

لن يستطيع أحد إنهاء مشكلة سارة وريم سوى وليد، لذلك ذهبت لوليد وأخبرته أنني أريد التحدث معه وهو سمح لي.

لينا: "أنت تعلم يا وليد أنّ ريم لم تدعُ سارة للعرس؟"
وليد: "أنا حقّاً لا أعلم لمَ فعلت ذلك، ولكن أعتقد أنّ هذا أفضل".

لينا: "إن لم تدعها ستظلّ تفكّر فيك وسينشأ عداء بينها وبين ريم، ولكن في حالة دعوتها ستفهم أنك تريد أن تكون صديقاً لها، وأنك لا تحبّ أن تخسرها".

وليد: "لا أعلم إن كانت سارة ستفهم دعوتي لها بهذه الطريقة أم لا".

لينا: "طريقة شرحك للأمور ستكون هي السر في تفهّمها لها".

وليد: "وماذا سأفعل بريم؟ ربّما تفهم أمر دعوتي لسارة بشكل خاطئ".

لينا: "عليك أن تخبر ريم أن تدعو سارة قبل أن تفعل أنت".

وليد: "وماذا إن رفضت ريم أن تدعوها للحفل؟"

لينا: "أنا متأكّدة أن ريم لن ترفض إن علمت أنَّ هذه هي رغبتك".

وليد: "حسناً سأحاول".

كان وليد يثق بي ويعلم أنني كأخته التي تنصحه، وبالفعل فعل ما طلبته منه.

في يوم العرس، كنت سعيدة جداً لسعادة ريم ووليد وتمنّيت لهما أن يقضيا عمراً من السّعادة والتّفاهم والاحترام وألّا يقلّ اهتمامهما ببعضهما أبداً.

لقد حضرت سارة العرس ويبدو أنها متقبّلة للوضع، وحديثها معي هو ما أكّد لي هذا حيث قالت لي: "شكراً لكِ يا لينا لأنَّه بفضلك لم أقف عند اختياري والدّليل هو حضوري لهذا الحفل".

كنت سعيدة بسماع هذا الكلام منها، واتّفقت أنا وسارة أن نصبح كالأخوة، وبالفعل أصبحنا.

حضر فارس أيضاً حفل الزّواج وكان سعيداً للعروسين. فوليد أصبح أقرب صديق لفارس بعدما اتَّضحت الأمور بينهما. أخبرني فارس في العرس أنه يحلم بمثل هذا اليوم. حينها ابتسمت له ولكنّه أكمل كلامه قائلاً: "وأكثر ما أحلم به هو أن تكوني يا لينا شريكتي في هذا اليوم".

كنت عاجزة عن قول أيّ كلمة لفارس، فأنا لم أتَّخذ قراري بعد ولكن فارساً تابع كلامه قائلاً: "سأظلُّ أنتظر اليوم الذي ستوافقين فيه يا لينا أن نكون معاً".

بعدها ذهب فارس وتركني أفكّر في مقدار حبي له. كانت أجواء العرس رائعة، كما أن المشاعر التي كانت بين ريم ووليد أضفت طابعاً من الرومانسية والانسجام على الحفلة، وتفاعل العروسين مع الحضور جعل العرس أكثر متعة.

عرس ريم ووليد جعلني أتذكر عرسي بعليٍّ وأفكر كم كان تعيساً وعلى عكس هذا العرس تماماً، وتمنيت أن يكون زواجي من فارس يشبه هذا العرس، وأن تكون فرحتي في مثل هذا اليوم تشبه فرحة ريم بوليد الذي أعطاها الكثير من الحب ونال ثقتها وإعجابها في فترة قصيرة.

بعد مرور شهر على زواج وليد وريم

قضى فارس هذه المدَّة في إثبات حبّه لي وإقناعي بأنّه لا يخدعني.

بينما أنا قضيت هذه الفترة مترددة وخائفة ليس من فارس إنما من تكرار معاناتي السابقة، رغم أن فارساً في الكثير من الأحيان كان يفهمني ويعلم ما أفكر به قبل أن أخبره به، ولكنه كان عاجزاً عن فهم بعض التصرفات التي أفعلها لجهله بحياتي السابقة.

وعندما كان يطلب مني تبرير هذه التصرفات كنت أعجز عن إخباره فأنا لا أعلم إن كان سيصدِّق فكرة ولادتي مرتين أم لا؟

لم أفكر أبداً أن أحكي لأحد عن حياتي السابقة ربما لأنني لن أصدق أي شخص سيأتي ويخبرني بتلك القصة فكيف سيصدقها الأخرون، رغم أن أمي كانت مقرَّبةً مني إلا أنها لن تصدق فظاعة ما فعله أبي معها في حياتي السابقة، ولا شك أن

حبها الشديد له سيجعلها تلومني على موته في حياتي الحالية إذا صدَّقت قصتي، بينما ريم لن يهمها الأمر كثيراً فهي لم يكن لها أي دور في حياتي السابقة، ولكنها ستعتقد أنني غريبة الأطوار، أما فارس سيضحك عندما يعلم أنني تزوجت في حياتي السابقة بشخص مثل عليٍّ، ولن يفهم قدر المعاناة التي شعرت بها معه، أو ربما سيتعاطف معي، ويعاملني كشخص تألَّم كثيراً ويمضي بقية حياته معي بدافع الشفقة... لا أعلم إن كنت مخطئة بشأن ردة فعلهم عندما يعلمون بشأن حياتي السابقة أم لا ولكنني متأكدة أنهم ليسوا بحاجة لمعرفة لينا السابقة.

الشخص الوحيد الذي سيظل يتذكر لينا السابقة ويشعر بكل معاناتها هي أنا، ولكن سيظل تذكري لها دافعاً لتحسين حياتي الحالية والهرب من ألمها ومعاناتها التي عانت منها من قبل.

ذات يوم دعاني فارس للعشاء، وأثناء حديثنا عرض عليَّ الزّواج قائلاً: "لن يتوقّف حبي لكِ أبداً يا لينا، وتأكّدي أنني دائماً سأحاول إسعادك، فهل تقبلين الزّواج بي؟"

صمتُّ حينها قليلاً، وهو حزن لصمتي لأنّه أعتقد أنّني أرفض الزّواج به. ولكنني نظرت له وقلت: "لن أستطيع أن أخفي حبّي لك أكثر يا فارس".

حينها، نظر إلي وكأنه لا يصدّق أنَّني أخبره بهذا الكلام، ثم طلب منّي أن أكمل فهو تحدّث كثيراً خلال الأيّام الماضية بينما أنا كنت صامتة.

حينها أكملت قائلة: "لقد انتظرت كلّ هذه المدّة لأتأكَّد إن كنت الاختيار الصّحيح أم لا".

فارس: "وهل تأكَّدتِ؟"

لينا: "لقد تأكَّدت أنّني لا أستطيع أن يمرَّ علي يوم دون رؤيتك والتحدّث معك وسماع كلماتك التي يسمعها قلبي قبل أذنيّ. لقد تأكّدت أنّك مستقبلي القادم وفرحتي والنّور الذي سيمحو الظّلام من حياتي".

فارس: "أين كانت كل تلك الكلمات والمشاعر يا لينا؟"

لينا: "كنت أخبّئها هنا"... ثم أشرت إلى قلبي.

فارس: "هل تعلمين؟ كنت لا أتوقّف عن قول أنّني أحبّك لأنَّني كنت أسمع قلبك وهو يردّد "وأنا أيضاً أحبّك".

لينا: "كان حقّاً يردّدها يا فارس".

فارس: إذاً هل تقبلين الزواج بي؟"

حينها ابتسمت له وقلت: "أقبل بكلّ تأكيد".

أجّل فارس زواجنا عدّة أشهر حتى تستقرّ علاقة والده بوالدته. وبالفعل، عادت أسرته مترابطة وكان سعيداً للغاية بحدوث هذا.

لقد تزوّجتُ أنا وفارس بعد خمسة شهور من زواج وليد وريم. وكان حقّاً يوماً لا ينسى فهو كالحلم بالنّسبة لي، وقضيت أنا وفارس سنةً من أجمل سنوات حياتي، حيث كان فارس أجمل هدية أعطتها لي الحياة، فكان الرّجل المسؤول والواعي، والزوج المحترم والصّديق الوفي، والعاشق المهتم والمحبّ الغيور. لا عجب إن قلت إنَّه أعطاني حياة.

لا شك أن حياتي السابقة كان ينقصها فارس لذلك عندما وُلِدْتُ للمرة الثانية قررت أن يكون جزءاً لا يتجزأ من حياتي، أحياناً أشكره ولكنه لا يفهم سبب شكري له فهو يرى أن ما يفعله معي على أي زوج أن يفعله مع زوجته.

بعد هذه السّنة، أنجبت طفلاً جميلاً كان يشبه فارساً، وأصرّت أمي أن نسمّيه محمود على اسم والدي. وأنا لم أستطع أن أرفض، فأبي في عين أمي الرّجل الوفيّ، كما إنها ربّتني على حبّه حتى نسيت ما فعله بنا في حياتي السّابقة وأعتقد أنه نال جزاءه بما يكفي في حياتي الحالية. وكتعويض له عن عدم وجوده،

سمّيت ابني على اسمه.. وعندما بلغ محمود حبيبي عُمْرَ السّنة، قرّرت أنا وفارس أن نعدّ له حفلةً كبيرة تحضرها عائلتنا ونفرح لبلوغه العام، لذلك، دعونا والديَّ فارسٍ ووالدتي ووليداً وريم التي كانت حاملاً في شهرها الخامس بمولودها الأول. كما دعونا سارة والدّكتور كمال وابنه الذي أصبح يراه كما يشاء بعدما سوّى الأمور مع طليقته.

جهّزت أنا وفارس كلّ شيء من أجل عيد الميلاد وانتظرنا العائلة. كان فارس يفتح الباب ويستقبل الحضور، وكان أول من حضر والدا فارس، ثم ريم ووليد، ثم الدكتور كمال وابنه، ثم سارة، بينما أمّي تأخرت قليلاً، وعندما سمعت جرس الباب أخبرت فارساً بأنّني من سأفتح لأمّي. وعندما فتحت الباب كانت الصّدمة.

لم أتوقع أن أرى تلك المرآة مجدداً، لقد رأيت السيّدة العجوز التي أعطتني حياتي الحاليَّة، فقلت لنفسي: (هل ربّما عادت لتأخذها مني؟)

لكنّي حينها شعرت بضيق في التّنفس وصعوبة في الكلام، فبدأت هي الحديث قائلة: "ألن ترحّبي بي يا لينا؟ ألا تحبّين

تواجدي؟ أم إنَّكِ مرعوبة أن آخذ حياتك التي أصبحت ثمينة الآن؟"

بعد كلماتها الأخيرة، شعرت أنّ تواجدها سيجلب السّوء لحياتي، لذلك قلت لها: "ماذا تريدين مني؟"

العجوز: "تعالي معي".

لينا: "ماذا!!"

العجوز: "أريدك يا لينا أن تثقي بي أكثر، فلا تنسي أنَّني سبب حياتك السّعيدة الآن".

لينا: "إلى أين تريدين أن تأخذيني؟"

العجوز: "أريد أن أريكِ شيئاً ثم أعيدك".

لينا: "ولكن أنا مشغولة، عائلتي هنا".

العجوز: "لن يستغرق الأمر سوى بضع دقائق."

لينا: "ولكن..."

العجوز: "أعدك بأنكِ لن تريني مجدداً إذا ذهبت معي الآن".

لينا: "حسناً، فلنذهب".

لا أعلم ما الذي حدث، فبعدما أغلقت باب المنزل وجدت نفسي في مكانٍ آخر وكأنها تستطيع الانتقال من مكان لآخر في لمح البصر، كم كانت غريبة!

لقد انتقلنا لمكان يشبه الحي ولكنّه مظلم. ثم سرنا مسافة قصيرة وتوقّفنا أمام باب، ونطقت العجوز بضع كلمات ثم فُتح الباب وكان المكان مظلماً للغاية، لكنّه فجأة أُضيء وبدأنا ننزل على سلالم كثيرة حتى وصلنا لمكان يشبه القبو وبدأتُ أسمع أصواتاً غريبة تشبه الأنين والبكاء والصّراخ. وعندما كنّا نقترب كان الخوف يملأ قلبي والأصوات تزداد حتى وجدتُ نفسي أمام زنزانة كبيرة مليئة بأناس مقيّدين بسلاسل، وتلك الأصوات تصدر منهم ويبدو عليهم الإرهاق الشّديد حيث كانوا نحيلين، وألوانهم شاحبة، ومتّسخين، وجائعين. حينها نظرت للعجوز وقلت: "من هؤلاء؟ ولمَ أتيت بي إلى هنا؟"

ضحكت العجوز بشكل مخيف ومرعب على خوفي ثم قالت: "هؤلاء خدمي، وهم من عجزوا عن تحقيق ما أنت فيه الآن. هم من ضيّعوا فرصتهم ومكّنوني من أخذ الثّمن".

لينا: "هل حقّاً كنت ستفعلين بي هذا إن لم أنجح في حياتي التي أعطيتها لي؟"

العجوز: "ما ترينه الآن هي المرحلة الأولى، لأنَّ هؤلاء حديثون في خدمتي، ولكن هناك من وصلوا لمرحلة أبشع بكثير".

لينا: "ولمَ أتيت بي إلى هنا؟"

العجوز: "لتقدّري ما أنت فيه الآن، ولتعلمي من أي عذاب نجوتِ".

لينا: "حسناً، أريد العودة الآن".

العجوز: "حسناً، سأعيدك ولكن عليَّ أن أخبركِ بشيء قبل أن ترحلي".

لينا: "ما هو هذا الشيء؟"

العجوز: "يمكنني أن أقدّم لكِ خدمة.. يمكنني أن أمحو ذكريات حياتك الأولى المؤلمة والتّعيسة فما رأيك؟"

لينا: "أنت ما زلتِ مصرّة على جعلي واحدة من خدمك، فأنت تعلمين أنَّ تذكّري لحياتي الأولى هو ما يجعلني أحافظ علي حياتي الحاليّة".

العجوز: "أنت ذكيّة يا ابنتي أكثر ممّا كنت أعتقد، يمكنك الآن الذّهاب، وأعدكِ أنكِ لن تريني مجدداً إلّا إذا فشلتِ في حياتك".

عندما عرضَتْ عليَّ هذه العجوز من قبل أن تعطيني فرصة أخرى لم أكن أعلم أن ثمن فشلي سيكون ما رأيته في هذا اليوم، ربما لو كنت أعلم لما وافقت، حيث كان شيئاً مرعباً وقاسياً ما تفعله بضحاياها، إنه ليس مجرد عقاب، بل هو خلود من

140

التعذيب والألم لقد رأيت في هذا اليوم أسوأ مخاوفي، لذلك كنت مصرَّة على ألَّا أفشل مهما كلّفني الأمر.

عدتُ لعائلتي وكان فارس يبحث عنّي فأمّي وصلت وكان علينا أن نطفئ الشّموع. وقبل أن أذهب لإطفاء الشّموع أغلقت الباب بالمفتاح لا أعلم لمَ، ولكني شعرت بأنَّني هكذا أشعر بالأمان أكثر، كما إنَّ إغلاق الباب على عائلتي كان يبدو كتعبير على أنَّني لا أريد أن يبتعد أحد منهم عنّي.

بقدر ما تركت تلك العجوز بداخلي أملاً، بقدر ما تركت خوفاً من أن ألقاها مجدداً... لا شك أنني ممتنة لما فعلته معي، ولكنني خائفة منها لأنها تهديد مستَمِرٌّ لحياتي.

لطالما تساءلت عن سبب عودتها في هذا الوقت بالتحديد، ولكنني أدركت فيما بعد أنها عادت في أكثر لحظة كنت سعيدة وقوية فيها؛ لتحثني على أن أحافظ علي تلك السعادة والقوة، لأن ضعفي وانكساري سيجعلني قريبة من لقائها.

أطفأنا جميعاً الشّموع. ولأنّ محموداً صغير ولا يستطيع أن يتمنى، تمنّينا جميعاً له. كانت أمنيتي حينها غريبة، تمنّيت أن يولد محمود مرّتين إن كانت حياته الأولى سيّئة، وأن يولد ثلاث مرات إن كانت حياته الثّانية سيّئة، وأن يظلّ يولد حتّى يجد حياته المريحة التي يحقّق فيها نجاحه الذي يحلم به.

في الحقيقة، لم يكن سِرُّ نجاحي في ولادتي مرّتين، بل كان في اللَّحظة التي قرّرت فيها أن أغيّر حياتي.

أعلم أنّه من المستحيل أن تظهر لك السّيدة العجوز لتغيّر حياتك، ولكنها ستظهر لك في شكل فرصة ثانية ستغيّر حياتك إذا اجتنزتها. أحياناً، تكون الحلول بسيطة، وتتوقّف فقط على إيمانك بها. وأحياناً، تكون الحلول صعبة وتتوقّف على إرادتك ومقدار رغبتك في التّغيير.

لا تندم أبداً على رفضك لفعل الأمور السّيئة حتى لو كنت ترى أنّها ستكون سبباً في حدوث أمور رائعة، فالأمور الرائعة لا تظلّ هكذا طوال الحياة، وحينها ستستيقظ لتجد نفسك شخصاً كان موهوماً بالسّعادة، وربّما حينها لا تستطيع التّعرّف على نفسك وتضطرّ لأن تعاملها بطريقة لا تستحقّها.

السّيدة العجوز ستكون هي الحياة بالنّسبة لك، والتي ستعطيك الأمل والفرصة المتعلّقين بقرار منك. ففكّر جيداً حتّى لا تخسر ما تبقّى من حياتك.

.... النهاية ....

142